U0142572

圖說
補「腦」的故事
——換個方式看經典，輕鬆提升你的閱讀力

齊格飛 編著

五南圖書出版公司 印行

作者序

　　我常常在想，為什麼古代的智慧不能穿越時空，讓現代的讀者們尤其是小讀者可以直接吸收？那些偉大的抱負、聰慧的謀略、機巧的言辯，為什麼不能像是可口的果汁，能夠隨口喝下並獲得養分？

　　因為文言文的隔閡，這些古代記載的故事，如同蓋上了一層罩子的玩具車，又如同蟄伏在沙粒下的超卓建築，總是讓人難以親近把玩。我們熟知智比天高的諸葛亮，他是如何吸引劉備三顧茅廬的呢？他又是如何舌戰江東群英？李白超欣賞的魯仲連，是如何用一封箭書讓敵人投降？開創漢朝的一代謀臣張良，他是如何成長，如何成為劉邦的首席智囊？曹操的兒子曹沖小弟弟，又是如何秤出大象的呢？至聖先師孔子為什麼居然會認錯呢？這些美妙的故事，難道只能在文言文的語彙中沉默，難道只能是教科書或考試中硬梆梆的教材和題目，而不能產生「更養眼、更多汁」的跨時空心靈交會嗎？

　　於是，我將古人當作朋友鄰居一般，把他們的故事從文言文中解放出來，重新闡釋，用現代的語言，白話小說的形式，讓他們脫掉外罩，抖落沙塵，給予他們親切的當代面貌，然後友善地轉身訴說活生生的動人故事。

希望用這種形式，加上【齊格飛老師教你一招】提煉故事中的聰慧結晶、【漫畫圖說】活潑的濃縮精彩片段、【智慧小學堂】整理相關的雋言佳語，讓現代的大小讀者們更容易汲取故事中的智力養分，運用在求學與生活上。希望有這些補腦故事的陪伴，可以刺激我們的思考迴路，爆發我們的聰明力，為往後的生命點上幾盞燈，為生活中的問題提供一些跨越古今的參考，化古人的智慧為自己的處世台階。

目錄

作者序

生活的智慧

1. 小心野狼／〈中山狼傳〉　2
2. 孔子不是教你詐／《史記》、《呂氏春秋》　9
3. 專注力是我的成功力／《列子》、《莊子》　14
4. 媽媽說，這些東西很重要／《列女傳》、《晉書》、《後漢書》　19
5. 有觀察有心得／《智囊全集》　24
6. 神奇護手霜，會利用才是高手／《莊子》　30
7. 老師在教，有沒有在聽／《史記》　34
8. 選擇，影響一生／《史記》　41
9. 懂得原諒別人／《智囊全集》　46
10. 連聖人都會認錯／《呂氏春秋》、《論語》　52

說話的藝術

1. 腦筋急轉彎／《清稗類鈔》　58
2. 用舌頭戰鬥，還打贏了／《三國演義》　63
3. 你又不是我／《莊子》、《韓非子》　70
4. 有道理就要堅持到底／《宋史》　75
5. 籌碼要怎麼用／《史記》　80
6. 先唬住對方，再講道理／《智囊全集》　85
7. 話反過來說／《晏子春秋》　91
8. 你才不是人！機智反應是最好的武器／《世說新語・言語》　97
9. 先幫別人想／《智囊全集》　104
10. 沉默的力量／《世說新語》、《三國志》　108

智謀的運用

1. 我很聰明，會想辦法 /《三國志》、《世說新語》、《宋史》 114

2. 打廣告，諸葛亮很會 /《三國演義》、《三國志》 119

3. 裝死賺更多 /《史記》、《智囊全集》 124

4. 什麼計策都拿來用吧 /《戰國策》 129

5. 買這些東西對嗎？/《戰國策》、《史記》 134

6. 聯想力是你的預言力 /《智囊全集》、《呂氏春秋》 141

7. 有時不接受好意，更好 /《列子》、《史記》 147

8. 再娶老婆看看啊 /《史記》 152

9. 不戰而屈人之兵 /《智囊全集》 156

10. 找出要害，快速下重手 /《智囊全集》 160

競爭的方法

1. 抓小老虎 /《後漢書》、《東觀漢記》 166

2. 一封信讓人投降 /《戰國策》 171

3. 敵人，你先退一下嘛！/《資治通鑑》 175

4. 大家一起投降吧！/《資治通鑑》 179

5. 一鼓作氣 /《左傳》 184

6. 超級挑撥王 /《史記》 188

7. 不必硬來，轉個彎更好 /《史記》 194

8. 孔子的勇氣 /《孔子家語》 200

9. 多想一點 /《智囊全集》 204

10. 沒有退路，只有向前 /《史記》 209

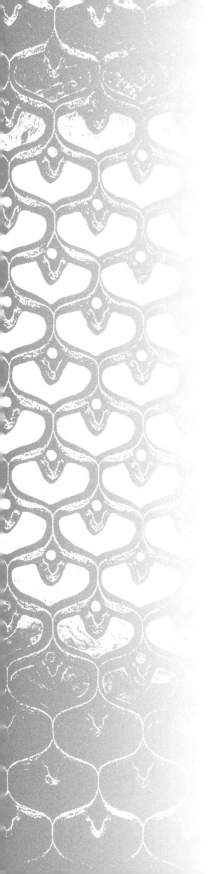
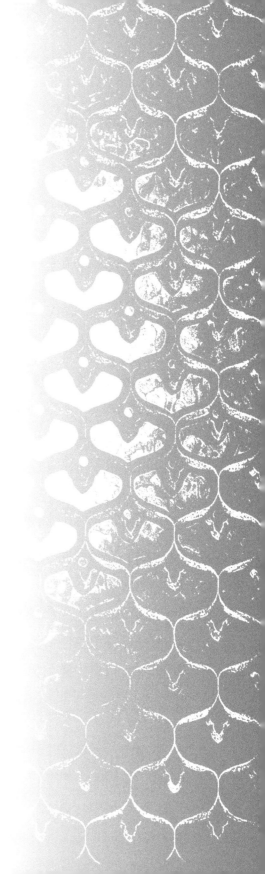

生活的智慧

❶ 小心野狼

<中山狼傳>

　　東郭先生面前站著一頭狼，身上還插著一枝箭，這頭受傷的狼喘著氣對他說：「先生……先生，我知道您是善人，願意幫助弱小，現在我身處危難，您何不將我裝進您的書袋中，好讓我苟延殘喘[1]保住一條小命呢？如果我能活著離開，我一定會報答您的大恩大德。」

　　東郭先生騎在一頭跛足的驢子上，裝載著一袋書冊，望見前方漫天飛揚幾乎遮蔽了天空的塵土，聽見如雷鳴般的聲響，知道是追趕狼的馬車隊，不禁心驚膽跳。

　　東郭先生說：「啊！如果我暗中庇護你這頭狼，恐怕會得罪追趕你的大貴族，惹下的災禍將難以預料。但是我學過的道理，就是要對天下萬物有愛心，所以我會想辦法來救你，即使會惹禍上身，也不推辭，並不是要求你的回報。」東郭先生把袋子中的書冊清空，讓狼躲進裡面，但因為狼身體太大，裝了三次都不成功，追趕的人卻越來越近了。

　　那頭狼說：「已經很危險了！您不能再拖拖拉拉，趕快想辦法呀！」說著狼將四條腿蜷縮起來，讓東郭先生拿繩子綁起，又將頭尾都彎曲起來，憋著氣，讓他裝進袋裡。東郭先生把袋口紮起來，

1　苟延殘喘：勉強存續生命。

放到驢子上，退避到路旁去。

　　剛放好，獵殺狼的貴族已經追到，找不到那頭狼，發怒拔出劍砍下車前橫木，罵說：「誰敢藏起狼，就會像這塊橫木一樣！」

　　東郭先生伏倒在地上，跪著說：「我是個不聰明的人，外出迷了路，怎麼會發現狼的蹤跡呢？我曾聽說過『歧路亡羊[2]』，像羊這麼溫馴的動物，尚且因為大道上的許多分岔而走失，野狼可聰明多，中山這裡又這麼多分岔路，僅是沿著大路來找牠，是很難發現的。何況我雖然愚蠢，難道不知道狼的本性貪婪又狠毒，能幫您消滅掉牠的話，我怎會隱瞞不說呢？」貴族聽聽也有道理，揮了揮手，上車離開。

　　等到一群人馬都走遠了，狼在袋子裡發出聲音說：「請先生把我從袋裡放出來，拔出我身上的箭，讓我離開吧。」

　　東郭先生一放出牠來，狼卻目露兇光，惡狠狠地說：「剛剛被獵人追殺，所幸您救了我。但是我現在餓了，沒食物吃，最後也會死掉。先生你既然是有愛心的人，何必吝惜身體來給我吃呢？」說著張牙舞爪撲向東郭先生。

　　東郭先生慌慌張張和牠搏鬥，一邊抵擋，一邊後退，躲到了驢子後面，於是一人一狼繞著圈子追著跑。不久，彼此都很疲累，東郭先生隔著驢子喘氣，說：「狼對不起我，狼對不起我！」

　　狼說：「我不是故意要對不起你，但是上天生下你們，本來就

2　歧路亡羊：《列子・說符》中，楊子的鄰居走失了一隻羊，因大路上有許多岔路，岔路中又有岔路，縱使多人搜尋，亦無法找回。後用來比喻事理本同末異，繁雜多變，易使求道者誤入迷途，以致一事無成。

是要給我們吃的啊！」

這樣僵持不下，太陽漸漸西沉，東郭先生暗想天色漸晚，如果又有狼群到來，肯定有死無生！因而騙狼說：「按照我們的風俗，事情決定不了，必須詢問三位長輩的意見。不然我們去找三位長者來問問，如果他們都說我應該被你吃掉，我就讓你吃好了。」狼欣然同意。

一路上沒有遇到行人，狼的肚子很餓，看見路旁矗立一棵老樹，牠對東郭先生說：「我們來問問這老樹！」

東郭先生說：「樹木有什麼見識？問他有什麼用？」

狼說：「問了才知道，聽聽他怎麼說！」

東郭先生只好向老樹拱拱手，說了事情的經過，問老樹：「您認為，狼應該吃我嗎？」

老樹枝葉突然沙沙作響，一個聲音說：「我是杏樹，從前老農夫種下一顆杏核，一年開了花，第二年結果實，到現在有二十年了。老農夫和家人們都吃我的果子，還拿去市場賣。我對老農夫一家有這麼大的貢獻，現在老了，不能再開花結果，老農夫竟然很生氣，要砍伐我，賣給木匠去換錢。唉！像我這樣無用的老樹，到了晚年時光，想免遭斧頭的砍伐還辦不到，你對狼有什麼恩德，還指望免於一死？我認為，狼應該吃了你。」

剛說完，狼又齜牙咧嘴對著東郭先生。東郭先生急忙揮手阻止說：「狼你等一等，我們說要問過三位長輩，現在只遇上了一棵老杏樹，別著急。」

他們向前走著，看見一頭老母牛在殘破的矮牆裡曬太陽，狼對

東郭先生說：「我們來問問這老牛！」

東郭先生覺得不妥，「剛剛的老樹沒什麼見識，胡言亂語。現在這頭牛是牲畜罷了，何必問牠？」

「你不問，我現在就吃你了！」狼流著口水說。

東郭先生又只好向老母牛拱拱手，說完經過，向牠詢問意見。牛皺著眉，瞪著他說：「老杏樹的話沒錯！我當初剛長角時，身強力壯，老農夫買了我，讓我耕種田地。其他的牛都衰老之後，所有的事情都由我來做；打獵要我拖車，耕種要我拖犁。老農夫一家豐足都是依靠我，如今我老了，他們把我趕到野外，我又冷又餓又生病。老農夫的妻子卻說：『拿老牛的肉可以製成肉乾，皮可以製成皮革，骨頭和角都可以做成工具。』要把我抓去殺了。我一生對他們這麼大的功勞，他們卻如此無情；你對狼有什麼恩德，妄想免於一死？你應該讓狼吃了。」

狼聽完很高興，再度露出尖牙，腳刨著地準備撲向東郭先生，東郭先生趕緊說：「等等，先別急，還有一個要問呢！」

他們望見遠處一位老人扶杖而來，白眉毛白鬍子，穿戴整齊文雅，看樣子是個有地位有見識的人。東郭先生覺得有救了，快步迎向前去，對著老人跪拜，哭泣說：「老先生救救我。」

老人問了其中原因，東郭先生告訴他整個經過，然後說：「現在一定是上天派您來救我，請您說句話讓我活命吧。」

聽完東郭先生的話，老人嘆了一口氣，用拐杖敲著狼頭說：「是你錯了。別人對你有恩惠，你卻要吃了他，太沒有良心。你再不趕快離開，小心我用拐杖打死你！」

狼笑了一笑，說：「老人家您只知其一，不知其二，請聽我說。東郭先生救我時，其實不懷好意，他把我綁起來，是想讓我死在袋子裡，扒我的皮，吃我的肉，這樣的人怎麼能不吃掉他呢？」

　　但東郭先生不服，詳細敘述先前拯救狼的心意，狼也不斷狡辯。老人說：「你們這樣各說各話，都不能讓我信服。不如從頭再試一遍，讓我看看狼是如何被裝進袋子裡。」

　　狼不疑有他，讓東郭先生再一次綁縛起來放進袋子裡，用肩扛起來放在驢子上。這時，老人在東郭先生的耳邊小聲問：「有匕首嗎？」

　　東郭先生說：「有。」拿出了匕首。老人指示東郭先生，讓他用匕首刺狼。

　　東郭先生猶豫說：「這不是害了狼嗎？」

　　老人笑著說：「這禽獸如此忘恩負義，你還不忍心殺牠。講究仁德而陷入愚蠢的境地，這是君子所不認同的。」於是兩人一起拿刀將狼殺死了。（〈中山狼傳〉明‧馬中錫）

齊格飛老師教你一招

　　這是一個負面教材，東郭先生代表迂腐愚蠢的人，學了道理卻不會活用，自以為慈悲善良，卻不懂得正確的作法。而狼不該吃東郭先生嗎？狼的天性就是要吃肉，不會去管是不是恩人，牠代表忘恩負義、反叛背棄，是不能相信的一類。還好東郭先生想出一個緩兵之計，藉著要請教三個長者意見，找到一線生機。老樹和老牛所說，則揭露人類的忘恩負義、恩將仇報，利用了他們，最後還要殘害他們，所以他們並不同情東郭先生，希望狼吃

了他。第三個出現的老者，代表真正識實務、聰明的人，他設計讓狼進到袋子，並且當機立斷殺了狼。這個故事教導我們三件事：第一、做人不可做爛好人，要辨明該做和不該做的事，真正講究仁慈的人，絕不是不辨是非的人；第二、不可做忘恩負義的人，要懂得報恩，不管對人、對萬物、對自然都應該感恩；第三、遇到問題，要找方法、用腦筋解決。

智慧小學堂

「仁陷於愚，固君子之所不與也。」——〈中山狼傳〉明·馬中錫

　　人的仁慈，必須有所分辨，必須有所限度，如果因為仁慈而陷入迂腐的境地，這是君子不會接受的愚昧行為。也就是說，仁慈是好的德行，但是不聰明的仁慈、沒有智慧、不懂得辨明是非的仁慈，不是真正受推崇的仁慈。

問題：

　　東郭先生的行為，你贊同嗎？哪些部分贊同？哪些不贊同？

　　如果你是老樹或老牛，你會贊成野狼吃了東郭先生嗎？

　　如果你是最後那位老人家，你會怎麼做呢？

❷孔子不是教你詐

《史記》、《呂氏春秋》

　　一般人對孔子的印象，大概都是嚴肅、保守，甚至高不可攀的模樣，真的是這樣嗎？錯！事實上，孔子是一個了解人性、懂得變通、能夠與時俱進[1]的人，所以孟子說他是「聖之時者」，因應時代變化的聖人。有二個小故事，可以幫助我們一窺孔子的真面目，來看看他是如何通權達變[2]。

「城下之盟」就不必守信了

　　孔子周遊列國的時候，有一天從陳國要去衛國，路過蒲國時，剛好碰到公叔氏起兵叛亂，他聽說孔子要到衛國，就派人中途攔截。

　　這時弟子公良孺嘆氣說：「我跟隨老師周遊，在匡地、宋國都遇到危難，現在又在這裡遇到危難，這真是命中的不幸啊！與其看到老師再次遭難，我寧願拼鬥而死。」高大威猛的公良孺於是拔劍召集眾門人，跟蒲人打了起來。

　　打得很激烈，相持不下，蒲人於是威脅孔子說：「你答應不去衛國，和我們結盟，我們才能放你走。」

　　孔子無可奈何，只好和他們訂下盟約。但是，孔子一出了城

1　與時俱進：與時代一同前進。
2　通權達變：不墨守常規，而根據實際情況，做適當的處置。

門，叫聲：「大家快走！」立刻就往衛國方向趕車急奔，子貢不明白，問：「老師，我們剛剛不是已經訂下約定，能違背嗎？」

孔子回答：「被迫訂下的約定，是城下之盟[3]，連神也不理！」所以他們拋下了這個約定，頭也不回驅車離開，前往原本的目的地。（《史記·孔子世家》）

【漫畫經典】

3　城下之盟：敵國軍隊兵臨城下，抵擋不住，被迫與敵人簽訂和約。

孔子雖然教導弟子要守信，但他也不是一個腦袋僵硬的傻瓜，從這個故事中可以知道，孔子認為「講信用」首先要分辨對象，信用是對待自己的朋友，以及守信的盟友；若是對奸人、小人、敵人也守信用，那就太蠢了。而且，本是對方無理在先，即使自己違背了信用，也沒有關係，不算是背信棄義。孔子曾經說過：「人無信而不立。」在現實生活中，我們應該誠實守信，但有一個前提是，必須分辨對象，對好人講誠信，是對的；對壞人講誠信，不就是幫助壞人了嗎？尤其是在壞人脅迫下做的約定，根本就沒有必要遵守。

收受報酬反而好棒棒

　　魯國有一道法律，如果在國外見到同胞遭遇不幸，淪落為奴僕，只要能夠幫助他們贖身，恢復自由，國家就會給予金子當作獎勵。有一次，子貢從國外贖回一個魯國人，然而他卻不去領取國家的獎金（因為他不缺錢），而且因為不領獎金而洋洋自得，一派自己不是因為獎金去行善的樣子。

　　孔子知道了這件事後，說：「賜（子貢的原名，全名是端木賜），你做錯了呀！聖人做的事，可以教導百姓，移風易俗[4]，不僅僅只是有利於自己而已。魯國現在有錢的人少而窮人多，你如果領取政府的賞金，並不會損害你贖人的行善價值；但是你不肯領賞金，

4　移風易俗：轉移風氣，改良習俗。

以後如果有人贖人回來，然後去領了賞金，就會被說成貪財之徒，而受到嘲笑。恐怕這樣一來，魯國就再沒有人願意去贖回同胞了。」

　　另外有一次，有人溺水，子路經過時救起溺水的人，那人很感激子路，送給他一頭牛，子路收下了。孔子很高興，說：「從此以後，魯國人一定會更勇於拯救溺水的人了。」（《呂氏春秋‧察微篇》）

【漫畫經典】

齊格飛老師教你一招

在我們的觀念中，子貢贖人而不領賞，是為善不受祿，奉獻不求回饋；子路救人卻收下牛當回報，剛好完全相反，變成有報償的為善行為，似乎不太純正。孔子的看法卻不是這樣，世上聖人沒有幾個，依據人性的觀點，一般百姓行善，通常要有誘因，也就是要有好事回報，才能激發他們行善的動機，讓他們持續做好事，或是帶動更多人做好事。所以，行善不能只看表面，尤其有地位的人，必須要考慮行為的影響，不可只看一時，必須看事情的結果；不可只論個人的得失，必須著眼於可能產生的利弊。

「大人者，言不必信，行不必果，惟義所在。」

——《孟子・離婁上》

是說在符合道義的前提下，通達的人說話不一定句句守信，做事不一定非有結果不可，凡事只要合乎道義就可以了。相反的，拘泥固執於「信用」，而不知通權達變，乃是愚蠢的行為。

問題：事實上，並不是別人（包括朋友）要求你做的事都是對的，不論什麼事都要懂得分辨好壞，你都會用什麼標準去分辨別人的要求？

❸ 專注力是我的成功力

《列子》、《莊子》

拿箭射跳蚤

　　我名叫紀昌，特地來向神箭手飛衛學習射箭。飛衛對我說：「你先要練習盯住一個目標，眼睛眨都不眨一下的本事，然後才能學習射箭。」

　　我回到家裡，試著仰躺在妻子的織布機下，眼睛死死盯住織布機飛快的踏板。這樣經過兩年之後，覺得已經有成效，即使是用鋒利的錐尖刺到眼睛前，我都可以不眨一眨眼。

　　我跑去告訴飛衛老師，已經練成不眨眼的工夫。老師卻說：「不行不行，你還必須練好眼力，才可以學射箭。當你可以把極小的物體看成很大，將模糊的目標看得很明顯，到那種程度你再來告訴我。」

　　我回家想了一個辦法，用牛尾巴的毛綁起一隻跳蚤，掛在窗戶上，面朝南方整天整天目不轉睛盯著這隻跳蚤看。十幾天後，跳蚤看起來逐漸逐漸變大起來；三年之後，看起來竟然有車輪那麼大。再看其它的小東西，都好像山丘那麼大。我便用燕國的牛角做弓、北方蓬草桿做成箭，製作出一把小弓箭，用指尖拿起小弓箭瞄準跳蚤，一箭射去就射穿跳蚤的中心，而牛尾毛卻沒有斷掉。

　　我很興奮，又跑去告訴飛衛：「老師，我辦到了！」

老師跳了起來，高興得拍著胸膛說：「你已經得到射箭的奧妙啦！」（《列子·湯問》）

【漫畫經典】

抓蟬的方法

我是抓蟬的老人。那一年夏季，樹林裡蟬噪聲如浪濤，孔子去楚國途中，他看到駝著背的我用一根長竿子在黏蟬，十分熟練，一揮就黏到一隻，看起來就好像是在地上撿東西一樣輕易。

孔子說：「老人家您的技巧真是好啊！有什麼特別的訣竅嗎？」

我回答：「我當然有訣竅囉。我先在竿子前端疊上兩顆石

頭，保持不墜落，經過五、六個月的練習，很少失手了；再疊起三個石頭而不墜落，一直練到十次不會超過一次失手；再增加石頭到五顆，這樣不斷練習，那麼使用竿子就會像在地面上撿東西一樣容易了。另外，我的身體立定時，猶如地面上的斷木，我舉竿子的手臂，就像是枯木的樹枝；天地之間雖然浩瀚，世間萬物縱使無窮，我只一心注意蟬的翅膀，腦袋從來不亂想，眼睛也不看其他的東西，絕對不會因為外在紛繁的萬物轉變對蟬翼的專注力，如此一來，怎麼能不成功呢！」

孔子有所領會，轉身對弟子們說：「專心一志，極度凝聚精神，說的就是這位駝背的老人家！」（《莊子‧達生》）

【漫畫經典】

古人的殘渣

我是輪扁。那天齊桓公在廳堂上讀書，正津津有味，我在堂下「沙啦沙啦」砍削著木頭做車輪。看到桓公搖頭晃腦、念念有詞，我忍不住放下椎子和鑿子，走過去對他說：「請問您所讀的書都寫些什麼？」

桓公說：「是聖人說的話。」

我問說：「聖人還在嗎？」

「已經死了。」

「既然如此，那麼您所讀的不就是古人的糟粕[1]嗎？」

桓公很驚訝的說：「我在讀書，你一個製作車輪的人居然敢這樣妄加議論，你要是有道理，我就饒了你，要是說不出個道理，我就將你處死。」

我說：「我用我的工作來做比喻吧。我砍削木頭做輪子，要是輪樺做太鬆，輪子容易滑脫；要是太緊，那就會卡住而放不進去。必須要剛剛好，不鬆不緊，這個訣竅是從手做中得到的心得，熟能生巧，我雖然說不出來大道理，但是其中確實有奧妙與訣竅。這種訣竅，我無法傳授給我的兒子，我的兒子也無法領會我的手藝。所以我已經七十歲了，還一直在製作車輪，而古人那些不可言傳的東西都已經消滅了。因此，我才說您所讀的書，只是古人所留下的糟粕啊！」

桓公無言以對。（《莊子·天道》）

---

1 糟粕：酒糟、米糟或豆糟等渣滓。比喻粗劣無用的東西。

齊格飛老師教你一招

專心做一件事，不斷的練習，把一件事做好，就是成功。以上的故事，說明事情不論大小，射箭也好，抓蟬也好，製作輪子也好，甚至當皇帝也好，只有透過持續的專注力，全心全意去從事，才能抓住訣竅，才會達到熟極生巧的境界，也才會有所成就。在讀書或是工作，甚至玩遊戲時，不也是如此嗎？

智慧小學堂

「雖有天下易生之物也，一日暴之，十日寒之，未有能生者也。」
——《孟子‧告子章句上》

即使有全天下生命力最強的的植物，只在陽光下曬一天，卻放在陰寒的地方十天，也不可能活得成。這就是「一曝十寒」的由來，告訴我們做事情必須有恆心，持久以往，才有可能成功。

問題：你最想學會什麼事？你可以專注學習多久？每天花多少時間呢？

❹媽媽說，這些東西很重要

《列女傳》、《晉書》、《後漢書》

知子莫若母

這一年秦國攻打趙國，趙王派大將軍趙奢的兒子趙括，代替廉頗為主帥。臨出征時，趙括的母親求見趙王，當面陳說：「大王，您不可任命趙括為主帥。」

趙王驚訝地問：「這是為什麼？」

趙括的母親說：「趙括的父親當大將軍時，他用自己的奉祿供養數十名食客，結交數百位好朋友，王上和貴族賞賜的錢財絲綢，他全部分給士卒。一旦接受命令出征，便不再過問家中私事。

現在趙括才剛當上大將軍，接受將士的拜見時，將士之中沒有人敢抬頭看他；您所贈賜的金銀絲綢，他都收回家裡；每日尋找便宜的田地房屋買下，擴充私產。您認為他像父親嗎？父子的用心，有這麼大的差異；父子的作為，有這麼大的不同。所以我怕他不能勝任，希望您不要任命趙括為大將軍率兵出征。」

趙王說：「我已經決定了。作為趙括的母親，您還是不要管了吧！」

趙括的母親又說：「如果您還是堅決要任他為帥，那麼如果發生什麼不稱職的事，我這個老婦人可以不受牽連嗎？」

趙王答：「放心，不會連累您的。」

紙上談兵[1]的趙括領兵出征才一個月，趙軍果然大敗，趙括戰死，全軍覆沒。所幸趙括的母親有言在先，趙王最終沒有加罪於她。（《列女傳》）

不要貪‧陶侃的母親

晉朝大將軍陶侃的母親，早年守寡，家中生計只靠她織布維持，她勤勞節儉，供應陶侃上學、結交良友。

陶侃當上尋陽縣吏時，負責監督魚市的工作。有一次，託人送一條醃魚回家奉養母親。母親打開一看，隨即又原封包好，請人送還，並附上一封信責備陶侃說：「你當縣吏，以公家的東西送我，不但不能使我高興，反而增加了我的憂慮。」陶侃接獲母親嚴厲的教訓，深自反省，從此小心謹慎，廉潔自持。

鄱陽這地方的一位孝廉[2]范逵，有一次拜訪陶侃，借住在家中。當時正下著大雪，家中沒有存糧，母親便割下自己臥榻草席，餵范逵的馬；又暗中削下頭髮，賣給鄰居，換錢買回肴饌，招待范逵。

范逵得知後，感歎地到處對人說：「若不是這樣賢良的母親，無法教養出這樣賢能的兒子。」

後來陶侃果然成為一代名臣，揚名於世。（《晉書》）

---

1 紙上談兵：戰國時趙括，擅長談論兵法，不知變通，長平一役大敗，趙軍被坑殺四十萬人的故事。典出《史記‧卷八一‧廉頗藺相如傳》。後比喻不合實際的空談、議論。
2 孝廉：舉官吏的科目。由各郡推舉的人才。

不要不乖．樂羊子的妻子

　　樂羊子在路邊撿到一錠金子，他回家告訴妻子這件事，妻子說：「有志節的人不喝『盜泉』的水，廉潔的人不吃乞討來的食物，更何況是對撿來的金子呢？」樂羊子聽後，感到非常慚愧，立即將金子放回原處。

　　後來，樂羊子離家求學，一年後突然返回家中。妻子問他為什麼，樂羊子答說：「在外地客居太久，心中想家，於是就回來了。」

　　只見他的妻子拿著剪刀，走到織布機旁邊，對樂羊子說：「這定絹布是從一絲一線慢慢紡織而成尺寸，再從尺寸紡織成丈，最後成為一疋。如果我現在剪斷織到一半的布，那麼之前所織的就

全部作廢了。如今你求學半途而廢，和我剪斷這半成品有什麼不同？」被這一番話打動，樂羊子即刻回去完成學業，七年間都沒有回過家。

　　樂羊子離家求學這段期間，妻子辛勤持家，奉養婆婆。有一次，鄰居家的雞誤闖入樂羊子家中，被婆婆抓住煮了。吃晚餐的時候，妻子得知雞的來歷後，只是對著那盤雞肉不停流淚，不吃一口飯。婆婆詢問她原因，樂羊子的妻子說：「我是傷心因為家中太窮，沒有好吃的食物奉養您，您才去吃鄰居家的雞，因此流淚。」婆婆聽了，非常慚愧，便把雞肉丟棄不吃。（《後漢書‧列女傳》）

【漫畫經典】

齊格飛老師教你一招

趙括的母親了解自己的兒子，知道他不愛惜將士，自私貪財，當大將軍將會招致大禍，果不其然，趙國數十萬大軍因他而潰亡。陶侃的母親以身作則，教導陶侃做官要清廉，不取公家之物；也要不吝惜財物，善待好友。陶侃終成為一代名將。樂羊子的妻子則用對的方法規勸，強調廉潔的重要，並讓樂羊子體認半途而廢，終將一事無成。這三位都是正直有操守的偉大女性，也傳達後世身教與家教的重要性。其中令人惋惜的是，趙括的母親自己有德行，她的兒子卻沒有受教。

智慧小學堂

「激濁而揚清，廢貪而立廉。」——《非國語‧神降於莘》柳宗元

排斥污濁，發揚正直清白的善良民俗；豎立廉潔的風氣，廢止貪婪的行為。俗話說：「儉以養德，廉以立身」，以節儉培養好的德行，廉潔修身才能頂天立地。

問題：我們常常嫌媽媽嘮叨，長大之後，是不是越來越不聽媽媽的話？與媽媽的溝通有發生什麼困難？要怎麼改善呢？

❺有觀察有心得

《智囊全集》

違反常情最可疑

　　管仲是齊桓公的宰相，他在病危之際，齊桓公去探望他，問：「您病重了，關於治國，您還有什麼話要教導我？」

　　管仲答說：「希望君王您遠離易牙、豎刁、常之巫以及衛啟方這四個人。」

　　桓公感到奇怪，說：「易牙烹煮自己的兒子，送來給我吃，只為了讓我品嚐人肉的滋味，這樣忠心的人，還有什麼可懷疑嗎？」

　　「親愛自己的兒女，這是人之常情，沒有人不愛自己的兒子，能狠下心殺害自己的兒子，只為了讓您品嚐人肉，這樣的人對您又有什麼狠不下心？」管仲回答。

　　桓公又問：「豎刁寧願傷害自己的身體，只為了留在宮中服侍我，這樣忠心的臣子，還有什麼可懷疑嗎？」

　　「愛惜自己的身體髮膚，這是人之常情，能狠得下心殘害自己的身體，對您又有什麼狠不下心？」管仲回答。

　　桓公又問：「常之巫能卜知生死，做法為我祛病[1]，還有什麼可懷疑嗎？」

---

[1]　祛病：祛，音ㄑㄩ，去除或治療病痛。

「生死有命，病痛是由於生活疏忽。您不篤信天命，盡本分照顧國民，而依賴常之巫的卜辭，他一定會藉此胡作非為，妖言惑眾。」管仲回答。

桓公又問：「衛啟方服侍我十五年，連他父親去世都不回去奔喪，還有什麼可懷疑嗎？」

「敬愛自己的父親，是人之常情，能狠得下心不奔父喪，對您又有什麼狠不下心？」管仲回答。

聽完管仲的分析後，桓公頓了一頓，似乎在慎重思考，然後說：「好，我答應您。」

管仲去世後，桓公就將這四個人全部趕出宮廷。但是，從此食不知味，宮廷內沒有管理，舊疾又復作，上朝也毫無威嚴。

如此經過三年，桓公懷疑：「管仲說的是不是錯了？」於是又把這四個人找回宮來。

第二年，桓公生病，常之巫對外宣布說：「桓公將於某日薨²。」

這時易牙、豎刁、常之巫相繼作亂，他們關閉宮門，築起高牆，不准任何人進出，桓公要求飲水食物都得不到。而衛啟方也拿一千戶的土地歸降衛國。

被囚禁而飢餓不堪的桓公，流著淚感慨地說：「唉！聖人的見識，真是很偉大啊！」

---

2 薨：音ㄏㄨㄥ，古代諸侯或大官死亡稱為「薨」。

誰叫你不聽話

晉國境內有幾個位高權重的貴族，瓜分各地國土，又互相攻擊。其中趙地大臣張孟談，約見貴族智伯後，在宮門外遇見智伯的家臣智過。智過回去對智伯說：「韓、魏兩地恐怕會有什麼變故吧！」

智伯問：「你怎麼會這樣說？」

「我在門外遇見張孟談，他一副驕傲、躊躇滿志[3]的樣子，走起路來神態高昂。」智過回答。

3　躊躇滿志：自得的樣子。躊躇，音ㄔㄡˊㄔㄨˊ。

智伯說：「是這樣的，我和韓、魏兩地主君慎重約定，只要攻占趙地，我們就三分趙的土地，彼此信守約定。這件事你不可說出去。」

智過出門去拜見韓、魏主君，又回去告訴智伯：「我去見過韓、魏主君，我仔細觀察他們的神色，發覺他們的心意改變了，一定會不利於您，不如趁現在殺了他們。」

智伯卻說：「我們的兵馬已經準備了三年，不久就要發兵進攻趙地，將會獲得很多好處，現在不能改變，你不必再說。」

智過說：「如果您不殺他們，就要親近他們。」

「如何親近他們呢？」智伯問。

智過很誠懇地勸告：「魏的大臣趙葭，韓的大臣段規，都是舉足輕重，可以改變他們主君心意的人，您可以和他們約定，攻佔趙地後，會封賞趙葭、段規各一萬戶的土地。這樣，他們就會要求主君遵守與您的約定，您進攻趙的願望便可以實現。」

智伯說：「攻佔趙後，要三分趙地，還要再封給這兩個大臣土地，剩下的就太少了，這可不行。」

智過的計謀不被採納，忠言不被聽從，感到很灰心，出宮後將自己的姓改為輔氏，並且立即離開躲了起來。

張孟談聽聞這件事，向趙地的主君說：「我在宮門外遇見智過，他的目光閃爍，顯然對我有疑心。他入宮去見過智伯後，馬上更改姓氏，看來會發生變故，如果今晚我們不出兵，先下手為強，恐怕來不及應變。」

趙主君說：「好。你趕快去拜見韓、魏的主君，約好今天晚上

除去看守堤防的衛兵，決堤水淹智伯的軍隊。」

　　最後，智伯的軍隊因為水患而大亂，韓、魏的軍隊從兩側攻擊，趙的士兵從正面進攻，大破智伯軍隊，擒殺智伯。智伯的土地被瓜分，智氏也就此消滅，只有原本智過的輔氏存活下來。（《智囊全集‧明智》）

【漫畫經典】

齊格飛老師教你一招

　　管仲有識人的智慧，看出四個惡人將會禍亂齊國，要求桓公遠離小人，可惜桓公不遵從。智過有極佳的觀察力，也富有智謀，然而智伯不聽，終招致滅亡。從微小的禍端，能夠察覺未來的大隱患，這是洞察人情的大智慧，這要平時多多培養觀察力，時時刻刻多觀察，充實自己，涵養正確的見識，才能辦到。而對於他人的忠誠勸告，更應該有雅量接納，並切實執行。

　　「履霜，堅冰至。」　　　　　　　　　　　　　　　　——《易經》

　　腳下踏到了霜，要知道寒冬的冰雪已經不遠了，也就是在告訴我們「見微知著，防微杜漸」[4]的道理。其實在我們的生活中，有很多禍患是可以及早防範，甚至消弭，因為這些禍患都是由微小的起端開始，然後才逐漸擴大，問題就在於能不能及早發現，下決心去除。

問題：如果你是齊桓公，會不會接受管仲的意見？為什麼？

4　見微知著：看到事情的些微跡象，就能知道它的真相及發展趨勢。
　　防微杜漸：防備禍患的萌芽，杜絕亂源的開端。防患於未然的意思。

❻ 神奇護手霜，會利用才是高手

《莊子》

　　惠子對莊子說：「魏國國君送給我大葫蘆的種子，種下後結出的葫蘆很大，大得可以容納五石。我拿來盛水，它卻因質地太脆，一舉起來就斷裂。切開它當容器，又因為太平太淺裝不了東西。它不是不大，但是因為它無用，我把它砸了！」

　　莊子說：「你啊，真不懂得運用東西。我跟你說一個故事，宋國有個人會煉製一種防止皮膚凍裂的神奇藥膏，只要手上塗了這種藥膏，就能預防因為低溫造成的凍傷皸裂[1]，所以他家世世代代靠著塗抹這種藥膏，在河中從事幫人漂洗綿絮的生意，從來不必擔心冬天水溫過低的問題。

　　後來，有個外地人聽說了這個神奇的藥膏，找上門來，說：『我願意出一百錢買下你們的藥方』，漂洗業者商議：『我們漂洗了幾輩子綿絮，也掙[2]不到幾個錢，現在只要賣掉藥方，一下子就可以拿到一百錢，我們就賣了藥方吧。』

　　那個外地人買到了藥方，跑去找吳王，說這種藥膏的用途很大，可以大量製造。不久之後，越國大舉侵犯吳國。吳王命令他率軍隊迎戰，當時正值隆冬，天寒地凍，兩軍在水上大戰。吳國的軍士塗上神奇藥膏，手腳皮膚都不怕凍傷，一個個奮勇向前，殺得越國人

1　皸裂：皮膚因寒冷、乾燥而破裂。皸，音ㄐㄩㄣ。
2　掙：音ㄓㄥˋ，努力獲取。

望風而逃[3]。得到勝利後，吳王非常高興，封賞給他一大塊土地。

　　一樣的防凍傷藥膏，有的人因此當大官，有了封地，有的人卻擺脫不了漂洗綿絮的工作，這就是由於使用方法的不同啊！現在你有可容納五石的大葫蘆，為什麼沒想到把它綁在腰上，做成腰舟，在江湖上遊蕩，反而怪它太大派不上用場呢？顯然先生您的心中已經被茅草阻塞了！」（《莊子‧逍遙遊》）

【漫畫經典】

3　望風而逃：遙見敵人的蹤影或氣勢就嚇得逃跑了。也作「望風而遁」、「望風而走」。

這是《莊子‧逍遙遊》裡一段很有名的寓言。惠子（惠施）是名家代表人物，他藉著大葫蘆，在對自己的主張不能見用而發牢騷，莊子就講了這個寓言故事笑他「拙於用大」，不懂得使用方法。一件東西的真正價值，有沒有用處，端看將它使用在什麼地方。「尺有所短，寸有所長」，用在不恰當的地方，一尺也太短；用在合適的地方，則一寸也夠長。

現代社會中，我們所熟知的「可口可樂」正是一個最相似的例子。原本可口可樂並不是現在我們喝的碳酸飲料，一開始只是鄉下地方一間藥房開發出來的咳嗽糖漿，有一位商人買下藥方，製成可口可樂，然後賣遍世界各個角落，如今成就了全球最大的飲料公司，可口可樂名聲無人不曉，這個商人成為最成功的飲料企業家，而藥房老闆和上面的神奇藥膏家族一樣，只拿到一筆相對很少的錢。所以，不管是對物品或是人，不能只看眼前，必須看出真正的價值，找到對的市場，做到「物盡其用，人盡其才」，才能夠發揮最大的作用，獲得最大的利益。

智慧小學堂

「井蛙不可以語於海者，拘於虛也；夏蟲不可以語於冰者，篤於時也；曲士不可以語於道者，束於教也。」

——《莊子‧逍遙遊》

　　井底之蛙，不可能跟牠們談論大海，因為牠們受到生活空間的限制；只存活於夏天的蟲子，不可能跟牠們談論冬天的冰，因為牠們受到生命時間的限制；對於鄙陋的人，不可能跟他們談論大道理，因為他們的教養有限。

問題：你認為莊子對於大葫蘆的用法建議好不好？
　　　如果有一個好主意，你會不會想盡所有辦法來實現？

❼ 老師在教，有沒有在聽

《史記》

幫我穿鞋

　　張良原本是韓國的貴公子，他家世代爲韓國的達官顯要，享受著榮華富貴的生活，秦始皇滅六國後，他失去了一切。計畫報仇便成爲他唯一的目標，他費盡心思、用盡財產，終於覓得一個大力士，謀劃在博浪沙刺殺秦始皇。當秦始皇的車隊到來，大力士躍出奮力一擊，可是擊出的大鐵椎偏偏誤中副車，秦始皇坐在另一輛車中安然無恙，大力士在衛士圍攻下當場犧牲。

　　暴怒的秦始皇立即下令，全面捉拿主使人，躲在一旁的張良急忙逃走，改名易姓跑到下邳，避過一劫。

　　這天還在避難的張良，意態從容地在街上閒晃，有一位穿著粗布短衣的老先生，看到張良從橋上過來，故意將鞋子掉到橋下去，然後盯著張良說：「年輕人，下去幫我撿鞋子！」

　　血氣方剛的張良聽到，一臉驚愕，覺得簡直豈有此理，氣得想衝過去揍這無理的老頭一頓。

　　但是看看這人實在太老了，只好強忍下來，下橋去撿了鞋子。沒想到上來後，老先生還伸出腳，說：「幫我穿上！」簡直是得寸進尺！

　　一呆之下，張良想反正鞋子都撿上來了，再忍一下吧，幫他穿

上。而且，乾脆長跪[1]著幫他穿鞋，想看看老先生會不會不好意思。

老先生不但不慚愧，竟坦然讓張良穿上鞋，笑一笑走了。

張良覺得這真是一個大怪人，一直目送著他離開。老先生走了不遠，又轉回來，張良則還在原地望著他。

老先生對他說：「孺子可教，年輕人你很受教。五天後的清晨，到這裡來會面。」

張良覺得奇怪，但還是尊敬地說：「是，我知道了。」

第五天早上，張良來到會面地點，老先生已經在等他，一開口就罵：「和長者約定見面，居然敢遲到！回去回去！五天後再來。」說著，頭也不回地走了，留下張良呆站在那裡。

五日後，雞剛剛啼叫，張良就來到橋上，不料老先生又已經到了，這次更生氣：「你為什麼又遲到？回去！五天後再來。」

張良想，不管如何提早，老先生都已經先到，索性這一次半夜就去，老先生總不會比我更早了吧。

於是張良半夜到達，過了不久，老先生施施然[2]走來，見到張良已經在等他，很欣慰說：「很好很好，就是應該這樣。」說著，拿出一部書，告訴張良：「好好讀這書，這是一部不世出[3]的兵法，你研讀之後，可以成為帝王的軍師，十年後將成就平定天下的功業。」

1　長跪：直身屈膝成直角的跪禮。古人席地而坐時，兩膝著地，臀部壓在腳後跟上。長跪時，則將腰股伸直，以示莊重。
2　施施然：舒緩前進的樣子。
3　不世出：非世間所常有。

張良感激且鄭重的收下後，老先生又說：「十三年後，你到濟北谷城山下，會看到一顆黃色的大石頭，那黃色石頭就是我。」說完，像一陣煙一般消失了。

　　張良拿到這部名為《太公兵法》的書，非常珍視，日以繼夜用功研讀，終於成為漢朝的開國功臣。

【漫畫經典】

爭取時機

　　張良隨著劉邦軍隊向西進入武關，劉邦想用兩萬人攻打秦國嶢關，張良卻說：「現在秦國軍隊還很強大，不可輕舉妄動。」

　　「那怎麼辦呢？」劉邦不免焦急地問。

　　「我聽說嶢關守將是屠戶之子，對付商賈小人，可以用金錢來收買。您先留在陣營裡，派人先去關前，準備五萬人的糧食，在各個山頭插上我們的旗幟，設下疑兵。再派一個將軍帶著金銀珠寶，去賄賂秦關守將，如此一來，我們要攻下關口就容易了。」張良顯得胸有成竹。

　　秦將果然被收買，同意投降，約定過一段時間後打開關口，共同合軍西攻。劉邦很高興，打算接受這個提議。

　　只見張良搖搖頭說：「這只是將領想叛變，底下的士兵恐怕不服從，這樣一定有危險。然而他們現在接受收買，心情上一定鬆懈，守備上一定鬆散，我們應該趁此良機發兵進攻。」

　　劉邦便率兵進攻關口，果然獲得大勝。一路攻進到咸陽，逼使秦皇帝子嬰投降。（《史記·留侯世家》）

真王假王

　　大將韓信征服齊國領地，遣派侍者向劉邦上書稟報：「齊國人狡詐多變，反覆無常，南邊又與楚國交界，如果不設立一個假的齊王來鎮撫，局勢恐怕不能穩定。因此，為有利於當前的局勢，希望您允許我暫時代理齊王。」

　　而這時，劉邦軍隊正被楚軍圍困，漢王當著使者的面打開書信一看，不由得勃然大怒，大聲罵：「我被圍困在這裡，日夜盼著韓信來相助，這時他卻想著自立為王！」

　　張良在旁暗中踢劉邦的腳，在他耳邊小聲說：「目前我們漢

軍處境不利，怎麼有辦法阻止韓信稱王呢？不如趁機立他為真王，而非暫代的假王，安撫他，讓他鎮守齊國，不然齊國可能會發生變亂。」

　　劉邦也很聰明，馬上醒悟，轉而故意說：「要當就當真王，怎麼能當一個假王呢？韓信平定了諸侯，就封他為真正的齊王吧！」便派遣張良前往立韓信為齊王，徵調他的軍隊回來攻打楚軍。（《史記‧淮陰侯列傳》）

齊格飛老師教你一招

　　張良刺殺秦始皇，失敗後於逃亡途中，還大搖大擺在街上散步，顯示他雖然膽子很大，但還不夠謹慎、有智謀。黃石老人藉著要他撿鞋子，要他提前赴約，就是要教導他：「懂得忍耐」、「預先設想，先下手為強」。他忍耐著幫老人撿鞋子、穿鞋子，懂得提前赴約，所以老人認為他「孺子可教」，才傳授他兵法。要是一般人不懂得忍耐，一氣之下揍了老人，哪來的兵法可以學呢？由此可看出，張良是一個受教的人，可以接受別人高明的教導，並且自求進步。從他後來提點劉邦要忍耐，暫時先封韓信為王；還有保握時機，搶先進攻秦國邊關，這都是張良確實學習到忍耐與領先的重要，並且發揮到實際的運用中。

「運籌策帷帳中，決勝千里外」　　——《史記‧留侯世家》

　　劉邦說於楚漢爭霸中，「在營帳之中謀略策劃，繼而在千里之外取得勝利」，這都是張良（字子房）的功勞。張良取得一切有用的資訊，加以分析運用，設想出最好的解決方案，讓劉邦派人實行；一方面策略正確，一方面劉邦信任，所以能獲得成功。成語「運籌帷幄」的由來。

問題：忍耐很不容易，你的忍耐力好嗎？什麼是你最難忍的事？

　　　　你做什麼事情都會預先準備嗎？

❽選擇，影響一生

《史記》

　　李斯年輕的時候在地方上當小吏，看到官衙廁所裡的老鼠，又瘦又小，吃的是穢物，每當有人或狗靠近時，就驚慌逃跑。

　　但是走進官方倉庫，卻發現裡面的老鼠，吃的是積存的粟米，住在高大、守備森嚴的房屋裡，不必擔憂人或狗來騷擾，一隻隻長得肥肥壯壯。

　　一樣是老鼠，卻有不一樣的待遇。李斯深有感觸，歎息說：「人也是一樣啊！一個人能不能好好發揮自己的才能，如同老鼠一般，端看自己處在什麼環境。」於是他去拜荀子為師，學習輔佐帝王之術。

　　學業完成後，李斯向老師說：「如今六國的形勢都不好，我決心到西方秦國去。我聽說一個人要是遇上時機，千萬不可輕忽放棄，不然將會錯失良機。

　　地位卑賤的人，卻不想有所作為，以致失去機會，這樣未免太迂腐愚蠢，這樣的人不過徒具人的外表，只是會走路的禽獸罷了。真正有才能的人，應該要爭取機會，建立事業。現在各國諸侯都希望擴張勢力，成就大業，所以有謀之士多有機會受重用，尤其是秦國實力最強盛，秦王雄才大略，野心勃勃，有吞併天下之志。所以我現在要動身去秦國，遊說秦國國君。」

　　李斯來到秦國，對秦王說：「如果秦國要等著諸侯的自行衰亡，那就會坐失良機。自從周王室衰敗以來，諸侯各國相互吞併，

函谷關以東的地方形成六國並峙的局面；而秦國六個世代以來，征戰各國，六國現在好像只是秦國的郡縣一樣，但是如果等到諸侯實力漸漸恢復，那時就沒辦法吞併他們了。

以秦國的強盛，加上大王的賢明，消滅諸侯，輕而易舉；建立帝王功業，完成天下的統一，如今正是千載難逢的時機呀！」秦王聽從他的計策，暗地派遣有謀略的遊說之士，帶著金銀珠寶去賄賂諸侯與貴族，派刺客暗殺不肯被收買的人。

不久後，有一個韓國的水利專家來到秦國，藉著水利工程當間諜，利用秦國百姓開鑿河道，大量消耗秦國的民力和財力，欲使秦國無力東征。這個陰謀後來被破獲，引起秦宗室大臣們大為不滿，紛紛對秦王說：「諸侯各國的人來我們這裡，都只是為了他們自己國家的利益，要來傷害我國而已，懇請大王將各國來的客卿一律驅逐出境。」

當然，李斯也在被逐之列，他嘆了一口氣，上書說：「我認為要驅逐各國客卿，這是一大錯誤。

從前秦穆公招攬人才，從各地網羅五個賢人，這五個賢人並不是秦國人，穆公卻重用他們，結果靠他們之力吞併了二十多個國家，才得以稱霸西方。

秦孝公用商鞅的變法，移風易俗，國家因此富足強大；惠王用了張儀的計謀，破解六國的合縱，使諸侯向西侍奉秦國，功業德澤一直影響到如今；昭王任用范雎為丞相，穩固王室，蠶食鯨吞[1]諸

1 　蠶食鯨吞：像蠶吃桑葉般的和緩，或像鯨吞食物般的猛烈。比喻不同的侵略併吞方式。

侯土地，終於使秦國奠定現在的基礎。

以上這四位秦國君王，不都是依靠客卿的功勞嗎？

從這些過去的事實來看，各國客卿有什麼對不起秦國？

陛下您擁有昆山所產的美玉，懷抱卞和的寶璧，掛著明月珠，佩著太阿劍，駕著纖離馬，豎著翠鳳旗，擺著鼉魚皮鼓。這些寶物，一樣也不是產自秦國，陛下卻都很喜歡；如果一定要秦國出產的才可以，那麼宮殿中就沒有這些珍寶，也沒有各國的音樂、美女了。

現在秦國正當用人之時，留下各國的珠寶、音樂、美女，卻輕視人才，要驅逐客卿，這是捨本逐末[1]啊。

泰山不排斥土壤，才能成就高大；河海不拒絕小溪流，才能成就深廣；稱霸天下的王者不拋棄庶民，才能成就宏偉。

大王您驅逐客卿，這些人就轉去事奉其他國家，天下的人才也會退縮不敢再踏入秦國，這就叫作借兵器給敵人，送糧食給盜賊！

驅逐客卿來資助敵國，去除人才而增強敵人，要國家不遭受危險，這是絕不可能的。」

一番慷慨陳詞，終於打動秦王，廢除驅逐客卿的命令，李斯的官職也獲得恢復。在李斯輔佐二十多年之下，秦國終於吞併天下，秦始皇也採用「皇帝」的尊號，任命李斯為丞相。（《史記・李斯列傳》）

---

[1] 捨本逐末：不求事物的根本大端，而只重視微末小節。

❽ 選擇，影響一生　**43**

【漫畫經典】

人和老鼠一樣，能不能過得好，都要看自己的選擇啊。

齊格飛老師教你一招

　　在歷史上，李斯不是一個好人，他陷害韓非致死；在秦始皇死後，背棄他的遺命，害死太子，最後自己也被奸臣趙高殺害。但是他卻教導我們，人要懂得選擇，評估所處的環境，找出有利於自己的位置，並且把握時機，創造自己想要的人生。人的一生不時要做出決定，決定自己人生的方向，決定自己的伴侶，決定自己的工作，甚至決定晚餐吃什麼。有可能一個選擇，就影響了一生，除了要多慎重，也必須好好選擇適合自己的環境，爭取自己真正想要的，以免造成遺憾與後悔。

智慧小學堂

「泰山不讓土壤，故能成其大；河海不擇細流，故能就其深。」

——《史記·李斯列傳》

泰山不排斥土壤，才能成就高大；河海不拒絕小溪流，才能成就深廣。成就大事的人，要能大度包容不同的人、事、物，並腳踏實地的耕耘，再小的事都有助於累積經驗與能力。

問題：如果你是李斯，有沒有勇氣去尋找更好的環境，開展自己的際遇？

❾ 懂得原諒別人

《智囊全集》

馬伕喝醉了

漢朝丞相丙吉有一天出門後，愛喝酒的馬伕喝醉了，嘔吐在馬車上，相府總管報告丞相，打算解雇馬伕。

丙吉卻阻止說：「只不過是弄髒座墊罷了，沒有關係。如果因為酒醉嘔吐而被開除的話，以後他哪裡還有容身之處？」

這個馬伕是邊疆人，很熟悉邊塞軍情文書傳遞的工作。有一次外出，正好看見遞送軍情的驛使攜帶紅色和白色的袋子，他知道邊塞一定有緊急事情發生。馬伕就跟著驛使到官署，打聽得知胡人進攻的消息，於是立刻回去向丙吉說：「邊疆發生戰事了，而且恐怕胡人進攻我方的要塞裡，有不少老弱多病、無法打仗的士兵，您是不是先了解一下？」

丙吉點點頭，大表贊同，立刻召見相關的部屬，查詢當地人員的檔案，了解他們的背景和經歷。

這時，皇帝召見丞相和副丞相，詢問邊塞受到胡人攻擊，以及邊地戰士們的情況。受到馬伕的幫忙，丙吉有備而來，當然回答得頭頭是道[1]，皇帝很讚賞說：「您關心邊疆要地，不愧是盡忠職守

---

1 頭頭是道：形容言行清楚明白、有條理。

的丞相。」而副丞相倉促間無法回應，受到了責備。

【漫畫經典】

假造蘇東坡的簽名

　　大文豪蘇東坡（蘇軾）剛到杭州上任，官府逮到一個逃稅的人，這個人是鄉貢進士[2]吳味道。他冒用蘇東坡的名義密封兩大包裹，要送去京師給蘇東坡的弟弟蘇轍。

　　蘇東坡提訊他，親切地問：「你包裹裡裝了什麼東西？」

2　鄉貢進士：州縣選舉而貢於朝廷的士人。

吳味道很惶恐，戰戰兢兢回答：「今年秋天，我榮幸獲得推薦成爲鄉貢進士，親朋好友湊十萬錢送我，作爲贈別禮物。我用這些錢買了二疋紗，想帶到京城，但是想到沿途各地的關口都要收稅，只怕到了京城，我的紗剩不到一半。所以我就想：『當今天下最有名望、最愛提攜讀書人的人，就是您和令弟蘇侍郎[3]。即使事情敗露，我被逮捕，也應該能得到您們的諒解。』所以才假借您的名義把紗封了起來，逃避關稅。到達杭州，卻不知道您已經到這裡任職。這是我的錯誤，我向您認罪。」

　　蘇東坡聽完，笑了一笑，吩咐僕人將吳味道寫的假封條撕去，親自拿筆寫上新的名銜，還簽上「送至開封竹竿巷」（蘇轍住所）的箋條，另外又寫了一封給弟弟的信，交給吳味道，微笑說：「這次是本人所寫，您即使拿上天去也沒問題了。」

　　第二年，吳味道京城科舉中試，特地來答謝蘇東坡。

3　侍郎：中央職官名，輔佐尚書令。

假造的信

　　有一書生假造大將軍韓琦的信，去拜見蔡君謨，蔡君謨看了信，心中起疑，但是相談之後，覺得此人性格豪爽，言語不俗，於是送他三千錢，並寫一封回信、備了禮物，派士兵護送他回去拜見韓琦。

　　見到韓琦後，這人當面謝罪：「對不起，我模仿了您的筆跡寫信。」

沒想到韓琦慢條斯理[4]的回答他：「蔡君謨是一個處事謹慎的人，恐怕你無法為他任用。在長安的夏太尉[5]，你不妨去找他，也許有機會。」說完，特地為他寫了一封信給夏太尉。家人覺得不處罰這人已經夠寬容，何必還要幫他寫介紹信。

　　韓琦說：「這個讀書人會模仿我的信，又能說動君謨，有才氣，有膽識，是個人才，必定有可用之處。」

　　果然，他拜見夏太尉之後，獲得了一個職位。（《智囊全集・上智》）

齊格飛老師教你一招

　　這幾個故事都是寬恕的佳話。丙吉、韓琦與蘇東坡都能夠容忍小過失，原諒犯小過的人，丙吉獲得馬伕的專長作為回報；蘇東坡與韓琦不只原諒假造書信筆跡的人，也展現惜才愛才的一面，有器量地去促成人才進用。我們不知道未來會發生什麼，原諒別人，也不是為了要求回報，而是放下追過尋仇的心，讓別人有機會改過，自己也不至於被仇恨所困困。被原諒的人，也應該要懂得感恩，將回報的情意積聚在心底，尋找機會回報，或是將這份心意對待其他值得原諒的人，這樣就是智慧與感恩的展現了。

4　慢條斯理：從容不迫的樣子。
5　太尉：宋朝官名，專管軍事，相當於武丞相。

智慧小學堂

「有容，德乃大。」 ——《尚書·君陳》

　　心存寬容，包容別人過錯的人，能成就偉大的德行。也即是「有容乃大」一語的來源。我們常說，寬恕是美德，得饒人處且饒人，原諒別人，給別人機會改過自新，才是擁有一顆寬容的心。

問題：如果你是蘇東坡或是丙吉，會不會原諒得罪你的人呢？
　　　平常生活中，你是不是對得罪你的人生氣？發脾氣、生悶氣？你願意多寬恕別人，不要常生氣嗎？

❿連聖人都會認錯

《呂氏春秋》、《論語》

做錯就認錯，才是對的事

　　孔子帶著學生來到陳國與蔡國之間，因為兵荒馬亂，旅途困頓，已經七天沒有飯吃，大家只以野菜果腹，個個餓得頭昏眼花。

　　顏回好不容易向鄉人要到一些白米，開始下鍋烹煮，飯快熟時，孔子剛好走過，一瞥眼看見顏回掀起鍋蓋，抓起一口白飯往嘴裡塞（這是什麼狀況），孔子當下裝作沒看見走開，心裡面一陣嘀咕。（顏回這個模範生偷吃飯？有這麼餓嗎？）

　　飯煮好後，顏回請老師用餐，孔子坐下後，故意若有所思地說：「早上我夢見祖先，我想把還沒人吃過的乾淨米飯，先祭拜祖先。」

　　顏回頓時慌張起來說：「老師，不行啊。這鍋飯我已經先吃了一口，不可以拿來祭拜祖先。」

　　孔子問：「你為什麼會先吃一口呢？」

　　顏回老實回答：「剛才煮飯時，不小心掉進一些煤灰在裡面，給老師吃染灰的飯，太不敬，丟掉又可惜，所以我只好抓起來自己吃掉。」

　　孔子恍然大悟，感嘆地說：「各位同學，我們常說『眼見為憑』，但是我們所看見的未必是真正的事實；我們平常所依賴的是

心的判斷，但是內心的判斷也未必都是可以依賴。我向來對顏回最是欣賞，卻仍然還會懷疑他，如果沒有問清楚，我可能就錯怪了顏回。可見主觀看法是多麼危險，而要清楚了解一個人是多麼不容易啊！大家一定要好好記在心底。」（《呂氏春秋‧審分覽》）

還有一次，孔子帶著學生到了武城這個小鄉鎮，一走進就聽到高雅優美的琴聲和歌聲。孔子笑了一笑，說：「割雞哪用得上宰牛的刀呀？」意思是嘲諷鄉下人居然用高級的音樂。

學生子游正是這個小鄉鎮的鄉長，他回答：「老師，以前我聽您說過：『君子學道就會愛護別人，小人學道就容易服從指揮。』」意思是：老師！我正是用您的教導來教這些鄉下人啊！

孔子聽了，馬上回頭說：「同學們，子游說得對啊，剛才我是開玩笑的。」（《論語》）

【漫畫經典】

　　第一個故事，孔子承認自己錯怪了顏回，還藉機教導學生，眼見不一定為憑，內心判斷也不一定正確，對人對事，一定要實事求是。第二個故事就是「殺雞焉用牛刀」的來源，孔子被學生用自己曾經的教誨回應了，他不但沒有生氣，而且馬上說自己剛剛是開玩笑，承認了學生才是對的。換句話說，孔子算是認錯了，老師總不好意思直接道歉，只好說自己是「戲言」。認錯，這對於一代聖人的孔子來說，看起來很不容易，實際又很自然，也教導了我們做錯就認錯，不必硬拗，才是最上策，不是嗎？

同溫層講的話，比較有說服力

　　周遊途中，孔子的馬偷吃了農夫的稻子，農夫很生氣，一把將馬抓走了。

　　子貢低聲下氣[1]去懇求農夫放回馬，求了好一會兒，農夫卻毫不理會。

　　子貢無功而返，孔子說：「用別人聽不懂的道理去說服他，就好像要野獸享用祭祀典禮的肉，請鳥類聆聽人類的優美音樂一樣。」孔子承認自己派錯了人，改命馬夫前去交涉[2]。

　　馬夫對農夫說：「你從未離開家到東海去耕作，我也不曾到西邊來，但兩個地方的稻子卻長得一模一樣，馬兒怎麼知道那是你的

1　低聲下氣：因謙卑或懼怕而順從小心。
2　交涉：相互協商，以解決相關事項。

稻子，不該偷吃呢？」

　　農夫聽了覺得有道理，就把馬還給了馬夫。（《呂氏春秋・孝行覽》）

【漫畫經典】

別難過了，派你去是我的疏失。

齊格飛老師教你一招

　　子貢的口才很好，但是孔子派他去和農人談判，為何卻沒有效果？這是因為子貢沒辦法用農夫的語言去溝通。後來改派馬夫出馬，馬夫用淺顯的語言和道理，一下子就說服農夫了。所以選

對人去做適合的事，才能收到功效，這才叫做「適材適用[3]」！即使是孔子也經歷了失誤，才學到這個道理。

智慧小學堂

子貢：「君子之過也，如日月之食焉。過也，人皆見之；更也，人皆仰之。」
——《論語·子張》

君子也是人，不可能沒有過失，就像是太陽月亮也會有日蝕、月蝕的發生。如同日月蝕，君子的過失，人人都看得清清楚楚，若是能即時改正，就像日月復圓，人人都會景仰。也就是人不怕犯錯，貴在勇於認錯改過。

問題：你會不會害怕認錯？覺得會很丟臉？然而自己做錯了事情，是不是希望獲得原諒？

---

[3] 適材適用：與才能相配而得以發揮。

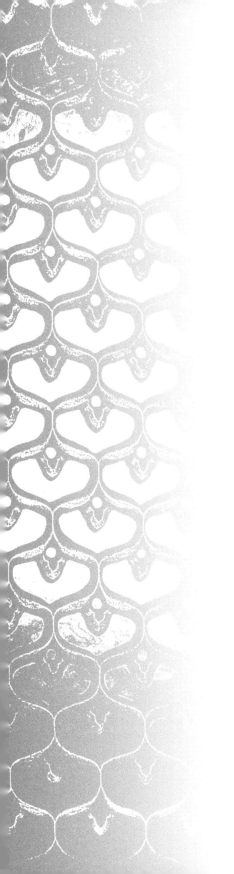

說話的藝術

❶腦筋急轉彎

老頭子

　　清朝大才子紀昀奉旨修《四庫全書》，工作很繁重。因為他身體肥胖，特別怕熱，夏天時經常汗流浹背，濕透衣服。他在南書房值完班，回到休息處，常常脫掉外衣，打赤膊納涼許久。乾隆皇帝聽聞他有這樣的習慣，就想來戲弄他一下。

　　有一天下午，紀昀打著赤膊和幾個同僚在談天說笑，忽然皇帝進來，大家都趕緊將外衣披起，一陣手忙腳亂。但因為紀昀是個大近視，皇帝走近了，他才發覺，眼看來不及穿衣服，一縮身子急急躲到書桌下，不敢大聲喘息，也不敢動。

　　沒想到皇帝故意坐了兩個小時，不離去也不出聲說話。

　　紀昀躲在蓋著桌巾的桌下，實在熱得受不了，終於忍不住伸頭出來問：「老頭子走了沒？」

　　皇帝聽到笑出聲來，其他人也跟著笑了。皇帝說：「紀昀你出來！」紀昀爬出桌下後，「紀昀，你大膽無禮，為什麼說我是老頭子這種輕薄的話？你說得出理由便饒了你，說不出來便殺了你的頭。」皇帝故意板著臉說。

　　紀昀不慌不忙，大著膽子說：「臣下還沒穿上衣服。」

　　皇帝命人拿衣服給他，紀昀穿上後跪伏在地上，這時皇帝還

是裝作很生氣的樣子，繼續問他：「快說，叫我老頭子是什麼意思？」

紀昀從從容容整理一下帽子、衣服，叩了頭，解釋說：「皇上，您萬壽無疆，大家稱呼您為萬歲，活一萬歲，那當然是老；您頂天立地，是黎民百姓的首領，所以是頭；您是天子，『子』這個字的來由如此，剛好這三個字加起來，就是『老頭子』了。」

皇帝聽了他的解釋，不禁莞爾[1]失笑。

【漫畫經典】

---
[1] 莞爾：微笑的樣子。

全部是忠臣

乾隆皇帝南巡到衛河，在御船上靠著窗子向外覽望，見到農夫在田裡辛勤耕作，這是他從來沒有欣賞過的景象，覺得別是一番風味，不斷回頭一看再看。

航行到山下的一個城鎮，皇帝想了解民間的生活疾苦，找了一位農夫上船來，問他：「今年的農作收穫如何，農業的發展如何，地方上的官員賢不賢明？」

農夫回答：「今年風調雨順，看來收穫應該會不錯，地方上的長官也都賢明。」

皇帝聽了很高興，又命農夫看看身邊每一個大臣，詢問每個官員的姓名。因為農夫是奉旨意詢問，每個官員不敢不回答，但又很害怕農夫會不會因為聽說過什麼消息，而說出不利他們的話，導致皇帝不悅，每個人都顯得惴惴不安[2]。

農夫看完也問完後，恭敬對皇帝說：「皇上，您身邊滿朝都是忠臣。」

「哦？你怎麼知道？」皇帝詫異地問。

農夫回答：「我看戲臺上演戲，那些奸臣像是曹操、秦檜，都是整張臉塗得白白的，您這裡的大臣都沒有這樣，所以我知道，這些全部都是忠臣。」

皇帝聽了哈哈大笑。（《清稗類鈔》）

2　惴惴不安：因恐懼耽憂而心神不定。惴，音ㄓㄨㄟˋ。

我看戲臺上演戲，那些奸臣整張臉都塗得白白的，您這裡的大臣都沒有這樣，所以我知道，這些全部都是忠臣。

齊格飛老師教你一招

　　紀昀的機智反應，堪稱一絕，從他可以在短短時間內，想出一番解釋，讓皇帝不見怪，還能感到幽默有趣；急中生智，並以詼諧的言語，替自己解除危機，不愧是飽讀詩書的大才子。第二個故事中的農夫也有如此反應才能。皇帝詢問，不能不答，答錯了可能招來殺身之禍，也可能造成其他大臣的傷害，然而他故意轉個彎，以巧妙的應對博得皇帝一笑，以這樣傻氣好笑的方式為大家解圍。巧妙而幽默的言語，常使對方不得不接受，而收到意外的好效果。

智慧小學堂

「高議而不可及，不如卑論之有功也。」

——《說苑‧說叢》漢‧劉向

　　華而不實、做不到的高談闊論，反而不如說些淺顯可行的話，才更有實效。易懂實在的言語，雖然樸實無華，但能實際幫助溝通，比那些空泛的高調好太多了。

問題：幽默的化解危機，是一個好辦法，你是不是能常常保持
　　　幽默的態度呢？

❷用舌頭戰鬥，還打贏了

《三國演義》

說到辯論，不能不提諸葛亮「舌戰」江東群儒的故事，其中的精彩過程經《三國演義》的渲染，成為一個絕世經典。

話說諸葛亮（字孔明）來到東吳，想要說服孫權共同出兵抵禦曹操。見孫權之前，孫權的謀士們個個摩拳擦掌，打算先圍攻折辱諸葛亮，打消孫權出兵抗曹的心意。

到了現場，只見張昭等一班東吳大臣有二十餘人，穿著官服端坐。

一輪介紹過後，張昭先問：「我聽說孔明先生您自比管仲、樂毅[1]，真的嗎？」

孔明說：「不錯，這是在下自我期許。」

張昭說：「我聽說你的主公劉備，對你三顧茅廬，請得你出山，說是如魚得水。然而，你們想要得到荊州一地，如今荊州卻仍屬於曹操，不知這是怎麼一回事？」

孔明知道張昭是孫權最重要的謀士，必須先挫一挫他的銳氣，讓他知難而退，不然難以對抗其他人，更遑論說服孫權。孔明說：「要取得荊州，易如反掌。只是我的主公劉備是仁義之人，不

1　樂毅：人名。戰國時燕國名將，昭王時拜為上將軍，率領燕、趙、楚、韓、魏五國兵伐齊，下齊七十餘城，封昌國君。昭王死，惠王使騎劫代其職位，毅奔趙，封為望諸君，後卒於趙。

忍搶奪而已，才讓曹操得以侵佔。」

張昭心想孔明上當了，接著說：「劉備還沒遇到您之前，還打下一些城池作為根據地，等到您輔佐劉備之後，反而被曹操打得棄甲拋戈，望風而逃，無容身之地，您還敢自比為管仲、樂毅？不好意思，我說話比較直，不要見怪。」

孔明聽後，啞然失笑[2]說：「鵬飛萬里，小鳥兒豈能了解牠的志向？我舉例來說，譬如有人身染重病，要治療他，必須先讓他服藥，給他喝一些稀飯；等到他的內臟比較調和，身體比較穩定，再慢慢讓他吃肉，給他服藥效比較猛的藥，這樣才能完全治癒。如果不等他身體稍微恢復就下猛藥，可能連命都沒了。

我主公劉備剛開始只有關羽、張飛、趙雲三個大將，士兵不滿一千人，將少兵寡；根據地的人民稀少、糧食不足。但是在博望一役，打得曹軍心驚膽裂，管仲、樂毅用兵也不過如此。當年漢高祖劉邦數次敗於項羽，而垓下一戰成功，難道不是韓信的謀略？國家大事，依靠的是善謀能斷的大臣，而那些沽名釣譽[3]的人，坐議空談，無人可及；臨機應變，百無一能。只是惹人取笑罷了。」

這一番話，說得張昭啞口無言。忽然有一個人說：「如今曹操擁有百萬雄兵，一千員大將，侵吞了江夏，您有什麼看法？」

孔明一看，是虞翻，「曹操接收了袁紹的殘兵，以及劉表的烏合之眾，雖然有上百萬人，但是沒什麼好怕的。」孔明回答。

2　啞然失笑：情不自禁的發出笑聲。啞然，指笑聲。啞，音ㄜˋ。
3　沽名釣譽：故意做作，用手段謀取名聲和讚譽。

虞翻「哼！哼！」冷笑說：「你們明明打敗仗，現在來向我們求救，還說曹操沒什麼好怕，未免太自欺欺人！」

　　孔明說：「劉備以數千的仁義之師，如何能抵擋曹操百萬殘暴之眾，我們退守到夏口，是在等待時機。而如今江東兵精糧足，還有長江天險，你們還想著投降曹操，不怕天下恥笑嗎？如此看來，劉備才真是不怕曹操！」

　　虞翻無法回應。另一個人又問：「孔明，你想效法張儀、蘇秦那樣的說客，來游說東吳？」

　　孔明一看，原來是步騭（ㄓ丶），「你以為蘇秦、張儀只是說客嗎？你不知道蘇秦、張儀是真正的豪傑？蘇秦佩六國相印，張儀兩次成為秦國宰相，他們皆有壯大國家的智謀，不畏強凌弱，也不怕兵兇戰危。你們一聽到曹操誇大的言詞，就害怕得想投降，居然敢嘲笑蘇秦、張儀？」孔明回答。

　　步騭說不出話來。另有一人薛綜問：「孔明，你以為曹操是什麼樣的人？」

　　孔明搖一搖羽扇，回答：「曹操就是漢朝的亂臣賊子，又何必問？」

　　薛綜說：「您說錯了。漢朝傳到現今，天數即將終結。曹操已擁有天下三分之二，人們都歸附他。劉備不識天時，想要勉強與他抗爭，正如同以卵擊石，怎能不敗？」

　　孔明嚴厲而大聲說：「薛綜！你居然敢說這種無父無君的話！人在天地之間，應該以忠孝為立身的根本。您既為漢朝臣子，看見有不忠心的賊人，應當發誓消滅他，這才是為臣之道。現在曹

操的祖先當漢朝的官，他卻不思報效國家，反而懷有篡逆之心。你卻說這是上天的旨意，真是無父無君之人！你閉嘴！我不想和你說話！」

薛綜滿臉羞慚，不能對答。又有一人陸績問：「曹操雖然挾持天子來命令諸侯，可他是宰相曹參的後代。劉備雖然說是中山靖王的子孫，卻沒有證據，不過是個賣草席草鞋的小販而已，如何和曹操抗衡？」

孔明哈哈一笑，說：「您不就是那個在宴席上偷藏一顆橘子在懷中的陸績嗎？您先請坐，聽我說。曹操既然身為曹相國的後人，則世代為漢朝的臣子；現在卻挾持天子，簡直是欺君，而且污蔑祖先；不僅是漢朝的反賊，更是曹氏一族的叛賊！而我主公劉備，受當今皇帝承認為皇族，怎會說沒有證據？況且漢高祖劉邦的出身不過是個村長，最終得到天下；販賣草席草鞋，又有什麼可恥？您真是小孩子的見識，不足以和高人對談！」

陸績語塞。另一人嚴畯接下去問：「孔明你所說的，都是強詞奪理，不是正經話。請問你都研究什麼經典？」

「只會尋章摘句[4]，不過是書呆子罷了，如何能建設國家？古代如伊尹、姜子牙、張良、陳平等等偉人，都有福國淑世的才能，從來沒聽說他們研究什麼經典，難道他們只會像書生一般，舞文弄墨而已嗎？」孔明回答。

嚴畯垂頭喪氣無法回應。又一人程德樞大聲說：「您好說大

4　尋章摘句：讀書時只知摘錄漂亮詞句，而不深入研究。

話，未必有眞才實學，恐怕只會被讀書人譏笑。」

孔明回答：「讀書人也有君子、小人的分別。君子，忠君愛國，堅守正道，務使自己貢獻社會，名留後世。若是小人，只會皓首窮經[5]，雖然下筆可以寫上萬言，胸中卻沒有治世謀略，又有什麼用！」

程德樞無言以對。這一陣唇槍舌劍，眾人見孔明對答如流，都感到很驚駭。這時有一人從外面進來，大聲說：「孔明乃是當世奇才，你們以言語爲難他，太缺禮數。曹操大軍壓境，你們不思如何退敵，還在這裡鬥嘴？！」

原來是將軍黃蓋，他向孔明說：「我聽說，多話而獲利不如沉默不語。您何不將這些金玉良言說給我主公孫權聽，卻在這裡和眾人辯論？」

孔明從容笑說：「眾人不知世務，向我提問，不容我不回答啊。」（《三國演義》）

5　皓首窮經：諷刺人雖一輩子努力讀書，卻沒把書讀通。

齊格飛老師教你一招

　　諸葛孔明在這一場辯論中，用了相當多技巧。首先，他在介紹一輪過後，即記起所有人的姓名、相貌，只要有人發言，他便能想起這人相關的資訊；這有一個好處，就是能運用發問人的背景，擬定回答策略。例如對張昭，因為是對方主帥，孔明必須多講一些道理來折服他，這是辯明首要戰場，先下馬威；像是陸績，孔明就先用他曾經偷橘子的糗事來取笑，這是減損對手公信力的作法。其次，像是回答薛綜，孔明直接定義說曹操是反賊，

等於一開始就斬斷對方拿劍的手，使對方的攻擊無力。另外，用治療病人要循序漸進為例，這是善用類比，增強說理的力道。孔明又說，書呆子不懂治國，讀書人也有君子、小人之分，則是攻擊這些說空話的文人膽小怕死，想要投降曹操，這是以比對方更高的道理來進攻對方要害。凡此種種，都顯示孔明是有備而來，對於對方的謀士，皆備妥背景資料，對於抵抗曹操也有一番大道理；而且，面對各種詰問，他都能隨機應變。

智慧小學堂

諸葛亮：「善戰者不怒，善勝者不懼。」——《便宜十六策》

　　善於對陣的人，不輕易發怒；善於取勝的人，勇而無懼。這是說要保持平靜的心情，不被激怒以致失去判斷力；同時，除了有智謀，也要有勇氣去實現。

問題：不論參加何種比賽，有沒有做充足的準備，蒐集所有有用的資料，並且不斷的練習呢？

❸ 你又不是我

《莊子》、《韓非子》

魚快樂嗎？

　　風和日麗的一天早上，莊子和惠子閒步到濠水橋上。

　　看著水裡來來去去的游魚，莊子說：「魚兒游來游去，從容自在，這就是魚的快樂呀！」

　　惠子說：「你又不是魚，怎麼知道魚快樂？」

　　莊子回答：「你也不是我，怎麼知道：『我不知道魚的快樂』呢？」

　　「是啊，我不是你，當然不知道你的想法，無法清楚『你知不知道，魚快不快樂』；同樣的，你也不是魚，你當然也不知道魚快不快樂。」惠子說。

　　「等一等，讓我們先回到這個問題的一開始。你先問我，『你怎麼知道魚快樂』，這句話實際上是你假設：『已經了解我知道魚快樂』，所以才這樣問，你實際上是在問我『如何知道的』。好吧，我現在回答你，我就是站在這個橋上知道魚快樂的。」莊子說。（《莊子·秋水》）

【漫畫經典】

你又不是魚，怎麼知道魚快樂？

你也不是我，怎麼知道「我不知道魚快樂」？

齊格飛老師教你一招

　　莊子和惠子辯論，到底如何得知魚快不快樂。莊子將心比心，說出魚很快樂，這是自己對於魚的一種心情移轉；但是惠子說你不是魚，無法體會魚的眞正心情。這是另一種邏輯，也並沒有錯，但是這樣下去，就是否定了原本將心比心的心情移轉了，也無法辯論出一個結論。所以，莊子用一種跳出繞圈圈的方式，回到問題原點，轉換問題的主旨，那也是惠子一開始問題設定的漏洞，亦即釐清問題問的是「如何得知」，而不是「知不知

道」，因此問題變成「你已經知道，但是如何知道」，所以莊子不必回答「知不知道」了，只要說因為我在橋上看到，所以知道。這雖然是一種取巧，甚至可說狡辯，但在辯論時，抓住對方的漏洞，讓對方無話可說，也確實是一個好方法呢。

鯽魚這麼說

　　莊子家徒四壁，窮得沒飯吃了，他前往拜訪監河侯，打算借點糧食。

　　監河侯回答他：「沒有問題！等我將來收到地方上的稅金，我就借給你三百錢，可以吧？」

　　莊子一聽，很生氣，扳起臉來說：「昨天我來的路上，突然傳來呼救的聲音，我回頭一看，見到地上馬車輾過造成的凹處，有一條鯽魚在裡頭，嘴巴一張一閤……。

　　我就問牠：『鯽魚啊！你在這裡做什麼？』

　　牠回答：『我是東海龍王的小臣子，不幸被困在這裡，沒水我就會死，您可以注些水救我活命嗎？』

　　我說：『好啊！我出發去南方遊說吳越的國王，設法引大江的水來給你，可以嗎？』

　　那條鯽魚立刻怒氣爆發，一臉不屑對我說：『我一旦沒有水，就無法生存，而你只要給我一點點水，我就能活命。可是你現在竟然講這種話，那還不如早點到乾魚市場上找我！』」（《莊子·外物》）

奇妙的頭髮

晉文公吃飯時，看見烤肉上居然有一根頭髮！

他很生氣說：「去把廚師叫來。」

廚師被帶到後，文公大聲罵：「你想噎死我嗎？為什麼烤肉上有著一根頭髮？」

廚師很惶恐，想了一下，繼而鎮定地回答：「君王，我實在犯了三個錯誤，罪該萬死。第一、我把菜刀磨得太鋒利，像是干將的寶劍一樣，但是只切斷了肉卻沒有切斷頭髮。第二、我把肉一片一片串到竹籤上，放在火上烤，卻沒有看到有頭髮在上面。第三、我把爐火燒得那麼旺，肉都烤熟了，頭髮卻沒有燒成灰燼。這應該都是我的錯。不過，您看是不是有別的可能，是有人要陷害我呢？」

文公聽後，說：「我明白了，去把廚房裡打雜的人叫來。」

打雜的人說：「請您原諒我啊！頭髮確實是我故意放的。」

（《韓非子・內儲說下》）

【漫畫經典】

齊格飛老師教你一招

面對監河侯的沒有同情心，莊子想罵他，但是他用了一個鯽魚寓言故事諷刺，而不是直接罵他，這比直接罵他，高雅得多，也有殺傷力得多。最後一個故事中，廚師不先說自己無罪，而是說自己犯了三個錯，但這個三個錯聽起來都超級不合理，所以聰明的晉文公自己就能重新思考，判斷放頭髮的一定另有其人。這三個故事都是在教我們「轉換立場」，將主要問題重新設定或釐清，有時會比直接辨明來得有效果。

智慧小學堂

「千丈之堤，以螻蟻之穴潰；百尺之室，以突隙之煙焚。」
——《韓非子‧喻老》

千丈長的河堤，因螻蟻挖的洞而潰決；百尺高的房屋，因煙囪裂縫中送出的火苗而焚燬。小處的隱患，不加以注意，則會成為對方的突破點，最終釀成禍患，導致失敗，所以立身處世必須要防患於萌芽狀態之中。

問題：如果你是第一個故事裡的莊子，你會如何回答惠子呢？
說話的邏輯非常重要，自己說話時要前後邏輯相通，道理清楚，別人才能接受；也要能找出別人邏輯不通的地方，你有沒有常常這樣訓練自己呢？

❹ 有道理就要堅持到底

《宋史》

宋朝正遭西夏人侵犯邊境，契丹王就想：「趁宋朝疲於應付時，我要他們歸還關南之地。」於是派使者前往宋朝提出要求。

富弼奉命前往契丹回應，他對契丹王說：「我們兩國交好已經有四十年，為什麼突然要求我們割地？」

契丹王說：「你們宋朝違反盟約，派兵防守雁門關，大舉整修城牆、徵調民兵，這是要做什麼？大臣們都要求本王立即出兵南下進攻宋朝，但是本王對他們說：『先派使者要求割地，如果宋朝不答應，再出兵也不遲。』」

富弼態度從容，不慌不忙說：「難道您忘了以前我們真宗皇帝的恩德嗎？當年澶淵之役，若真宗皇帝採納大將軍們的意見，全軍出擊，契丹士兵誰能活著回去？再說契丹與我們修好，您可以獨享所有的好處，您的大臣沒有絲毫的利益。一旦雙方交戰，勝利的一方，功勞歸大臣所有；如果失敗，君王卻要承擔戰爭的所有責任。所以大臣勸君王用兵，都是為了自己的利益啊。

再說，宋朝國土遼闊，精兵百萬，契丹要和我們交戰，有一定獲勝的把握嗎？就算僥倖獲勝，傷亡的士兵，損失的戰馬，這些責任是由群臣承擔，還是由您承擔呢？但是，如果我們兩國修好，您每年都會得到金銀、絲絹的餽贈，而您的大臣能分到什麼好處呢？」

契丹王聽得連連點頭。

富弼又說：「派兵防守雁門關是為防備西夏入侵；修牆是因為城牆太過老舊，而徵調民兵也是遞補軍中遺缺，並沒有違背兩國盟約。」

契丹王說：「即使宋朝沒有違約，但關南的土地屬於我們祖先，本來應該歸還我們才對。」

富弼說：「關南一地，以前晉朝送給契丹，後來周世宗又從契丹手中取回，這都是前朝的事了，如果我們各自要算老帳、索討舊地，契丹未必能討到好處，不是嗎？」

會談後，一位契丹大臣去向富弼說：「我們大王對每年接受宋朝的金幣，覺得恥辱，如果大王堅持要宋朝割地，您覺得如何？」

富弼回答：「出發前，我們皇帝曾交代我：『國土是祖先留下的，我們必須固守，不能隨便割讓。契丹希望得到的無非是金銀、絹綢，我不忍心兩國百姓因交戰而無辜喪命，可以增加每年的餽贈。但如果契丹堅持一定要土地，就是有心毀棄盟約，只是拿割地作藉口。』」

第二天，契丹王邀請富弼一同打獵，途中對他說：「如果宋朝肯割讓土地，我們兩國的友誼才可以保持長久。」

富弼說：「假如契丹得到土地會感到榮耀，那麼宋朝必會因損失土地而感到屈辱。我們兩國是兄弟之邦，這樣一個覺得榮耀，另一個覺得屈辱的事，怎麼做得出來呢？」

狩獵結束後，契丹大臣又對富弼說：「我聽了大王和您談到有關榮耀和屈辱的事，我想只有兩國結成親家才能鞏固友誼了。」

富弼沉吟一下，回答：「婚姻關係容易產生磨擦、衝突，況且

我們公主出嫁，陪嫁的嫁妝不過十萬錢，怎麼比得上年年餽贈的金銀呢？」使者因此打消聯姻的念頭。

後來，富弼回報皇帝談判經過，皇帝答應增加每年餽贈的金銀。契丹王卻說：「既然宋朝答應每年再增金銀，盟約上應該改寫成『獻』歲銀。」

富弼卻不同意，說：「我們兩國為兄弟，宋朝是兄長，哪有兄長給弟弟東西稱為『獻』的道理？」

契丹王不死心，又說：「那改為『納』如何？」

富弼還是不妥協：「不，沒有這個道理。」

契丹王說：「宋朝答應每年給本王豐厚的金銀和絲絹，是因為怕我們南侵，盟約改一個字又有什麼關係呢？否則我真的率兵南侵，南宋不會後悔嗎？」

富弼說：「宋朝是愛惜兩國人民的性命，所以希望和平相處，這不是害怕。如果真的萬不得已，兩國非交戰不可，其結果就不是當和平使者的我所能預料了。」

「你不要太固執了！改一兩個字，歷史上早有先例。」契丹王疾言厲色[1]說。

富弼毫不畏懼說：「歷史上，只有唐高祖因為曾經向突厥人借兵，當時為了答謝突厥，有稱為『獻納』金銀，可是後來突厥王被唐太宗打敗擒獲。我們能讓那樣的情形再發生嗎？」最後這一句話已經是聲色俱厲。

---

[1] 疾言厲色：言語急迫，神色嚴厲。形容人發怒的樣子。

契丹王終於知道無法說服富弼，只好派人到宋朝議和。
（《宋史‧富弼列傳》）

【漫畫經典】

齊格飛老師教你一招

　　富弼頗有古代說客的功力，憑著三寸不爛之舌，回絕契丹王的要求。幾次會談，句句話都占上風，語氣卻保持溫和、態度委婉，自有一番道理，讓對方聽得進去。面對契丹王的壓力，表現得不卑不亢；而且最後憑藉歷史知識，反擊契丹王，可說是有備

而來。如此的語言對話境界，結合膽識、態度與知識，值得佩服與學習。

　　所持的見解與主張有所根據，所說的話有確切的道理。指平時應該多累積知識，培養合理有根據的見解，說起話來有條有理，自然可使人信服。成語「言之成理」的由來。

問題：當你覺得自己有道理時，能不能堅持自己的立場，同時保持平和的態度呢？

❺籌碼要怎麼用

《史記》

　　楚國攻打韓國，韓國緊急向西周王室徵調兵馬與糧食，周天子感到十分苦惱，向蘇代求援：「這該怎麼辦才好？」

　　蘇代說：「陛下不必煩惱，我來幫您解決這個難題，我不但能使韓國不來徵兵調糧，還能讓您得到韓國的高都一地。」

　　聽到他這樣說，周天子喜出望外，說：「真的可以嗎？如果您能為我解決這個難題，那麼以後國家大事都聽憑您的意見。」

　　蘇代前往韓國，拜見韓國宰相公仲侈，說：「難道您沒有聽說楚國的計畫嗎？楚國的將軍昭應曾對楚王說：『韓國因為連年爭戰，兵馬疲困，糧倉空虛，沒有能力固守城池。假如楚軍趁這時率兵攻打韓國的雍地，不用一個月就可以占領了。』

　　如今，楚國圍困雍地已經五個月，卻仍然沒有攻下，這證明一件事，即是楚國已經師老兵疲[1]，將無力支撐了，而楚王也開始懷疑昭應的說法。現在您竟然向西周王室徵調兵糧，這不是在明白透露韓國已經精疲力竭了嗎？昭應知道以後，一定會請楚王增派兵力包圍雍地，這樣雍地肯定守不住。」

　　公仲侈說：「先生果然高見，可是我派去西周的使者已經出發了。」

---

[1]　師老兵疲：軍隊長期在外奔波，兵士們都已勞累不堪。

蘇代說：「我向您稟報一個建議，您爲何不將高都這塊地割讓給西周呢？」

公仲侈很生氣，大聲問說：「這是什麼話？我不向西周徵調兵糧已經很好了，憑什麼還要把高都送給西周？」

「假如您可以把高都割給西周，那麼表示西周與韓國的邦交關係更加篤厚，秦國知道後，會不大爲震怒嗎？他們一定會焚毀西周的符節[2]，斷絕使臣的往來。換句話說，您只要用高都一個貧地，可以換到一整個西周的支持，這麼划算的事，您有什麼不樂意呢？」蘇代回答。

公仲侈佩服不已，說：「您眞的非常高明！」

最後，韓國不僅不向西周徵調兵糧，還將高都送給西周，楚國也因此如蘇代所預料退兵而去。（《史記・周本紀》）

魏國的宰相田需過世，楚國宰相昭魚對蘇代說：「田需死了，我擔心張儀、薛公、公孫衍中有一人出任宰相，這樣對我們就不利了。」

蘇代說：「那麼您希望由誰擔任魏國宰相，才對您有利呢？」

昭魚說：「我希望由魏國太子出任宰相。」

蘇代說：「我可以爲你奔走，拜見魏王，說服他讓太子出任宰相。」

2　符節：古代出入城門關卡的一種憑證。用竹、木、玉、銅等製成，刻上文字，分成兩半，各取其一，使用時相合以爲憑。後指朝廷派遣使者或調兵時用爲憑證。

「先生您要怎麼說服呢？」

「不然現在你當魏王，我來嘗試說服你。」

昭魚覺得很有意思，「好，我們現在就來試試。」

蘇代將昭魚當作魏王，說：「陛下，我這次由楚國來時，楚國宰相昭魚非常擔憂，我就問他：『您在擔心什麼？』昭魚說：『魏相田需死了，我擔心張儀、薛公、公孫衍必有一人出任宰相。』

我就說：『相國您不用擔心，魏王是位明君，一定不會任用張儀，因為張儀出任宰相，就會親近秦國而虧待魏國；薛公當宰相，一定會親近齊國而虧待魏國；公孫衍當宰相，則會親近韓國而虧待魏國，因為他們自身受了這幾個國家的恩惠。魏王是一位明君啊，絕對不可能任命他們為宰相。』

接著我又會說：『最好由太子擔任宰相，這樣他們三人知道太子早晚會當上國君，出任宰相只是暫時的，為了想得到宰相的寶座，他們必定會拉攏與自己親近的國家來和魏國結交。如此一來，依靠魏國強大的國勢，再加上三個萬乘之國的盟邦，魏國必然更加穩固強盛，所以，最上策當是由太子出任宰相。』」

昭魚大為佩服。蘇代去見魏王，用這一番說辭，果然讓魏王任命太子為宰相。（《史記·魏世家》）

齊格飛老師教你一招

　　蘇代能夠說服韓相與魏王，靠的是清楚的分析利害關係，直接打中對方的要害。他能這樣成功辦到，也是因為他研究國際大勢有所心得，對於對方心中真正在意的利益問題非常清楚，甚且比對方還要清楚，所以才能透過言語的運用，將彼此關係中的籌碼展現出來，這時對方一看清利害所在，自然而然就會接受他的提議。

智慧小學堂

「言之無文，行而不遠。」　　——《左傳·襄公二十五年》

　　說話沒有文采條理，就流傳不遠。言語是智慧展現的工具，有用的言語不必多，能夠切入重點，有條有理，講得清楚一點，文雅不粗俗，自然有力量，甚至可以流傳久遠。

問題：在表達時，是不是能掌握利害關係，找出對自己與對方都有利的方法，來解決問題呢？

❻ 先唬住對方，再講道理

《智囊全集》

　　明朝英宗皇帝親征蒙古瓦剌部，結果在土木堡被瓦剌突擊，好大喜功[1]的英宗被俘虜，歷史上稱「土木堡之變」。瓦剌丞相也先囚禁英宗一年多，明朝雖屢次要求也先放回英宗，但也先的態度反反覆覆，始終不得要領；想派遣大臣前往瓦剌探詢，又苦於沒有適當人選。

　　一籌莫展之際，御史[2]官楊善自動請纓[3]，願意出使瓦剌。也先得知楊善來使，特地派一名聰明機靈的使者來迎接，想藉機刺探明朝軍情。

　　接見之後，使者說：「我本來也是漢人，自從被瓦剌人俘虜後，一直留在此地。」接著問：「當年土木堡之役，為什麼明朝軍隊在雙方未交戰的情況下就潰散呢？」

　　楊善回答：「當年的部隊不是明朝的正規軍，只是皇上的衛兵隨從；而且太平的日子過太久，將士們都已經過慣安逸的生活，在沒有接獲上級命令的狀況下，突遭瓦剌襲擊，怎麼可能不潰散？

　　不過瓦剌雖然獲得一次勝利，卻未必是瓦剌人的福氣。現今接位的皇上，英明睿智，勵精圖治，廣納各方的建言。我聽說有人獻

1　好大喜功：喜歡做大事，立大功。多用以形容作風鋪張浮誇、不踏實。
2　御史：主管彈劾、糾察官員。
3　請纓：自己請命，願意接受任務。

計：『瓦剌人要侵犯我們，一定要騎著馬翻山越嶺，經由長城關口入侵邊境。不如在邊境一帶布置鐵釘尖錐的陷阱，一旦瓦剌人騎馬闖入時，就會中陷阱而傷亡慘重。』獲得皇上採納。

又有人提議：『現在我軍使用的大炮，每次只能發射一發石炮，所以殺傷力有限，若是換成雞蛋大小的石砲一斗，攻擊範圍會變得更廣，一定造成敵人更多傷亡。』皇上也接受。

還有人說：『廣西、四川一帶獵老虎都用毒藥，塗在箭頭上，中箭立斃。我們可以蒐羅這毒藥，讓士兵塗抹在箭頭上。』這建議也被採納。

再有人建議：『我軍火槍隊填裝子彈時，敵人都趁機騎馬衝殺進陣地，我們應該改良火槍構造，一次可裝填數發鐵彈，並且塗上毒藥，等敵人騎馬衝殺時發射。』經過試驗證明，果然有極大的殺傷力。凡是獻計獲准的人，都升官受賞，所以大家爭相獻計，士兵們加緊操練，士氣很高昂。可惜，現在全都用不上了。」

使者聽到後很驚疑，問：「爲什麼用不上？」

楊善說：「如果明朝與瓦剌談和修好，這些兵器怎麼會派上用場？」

使者立刻回去，將楊善所說的報告也先。

第二天，也先接見楊善。也先說：「明朝與瓦剌多年交好，爲什麼這次我派使臣前去，卻被扣留，還減少賞賜，連鍋子也不肯賣給我們，這筆帳要怎麼算？」

楊善回答：「從您父親那一代開始，瓦剌派來進貢馬匹的使者不過三十多人，要求的回禮也只得到一部分而已，從來也沒有計

較，兩國友好，情誼深厚。

如今您派來的使者多達三千多人，皇上賞給每個人一件金線衣，即使十幾歲的孩童也一樣。更不用說豐盛的賜宴，回程時還加派衛兵護送，哪來拘留使者的事？

至於減少回禮的賞賜，是因為您寫了一封信，要托使臣交給朋友，但不巧使臣外出時，信件被人誤呈給朝廷，您的朋友怕引起誤會說他勾結外人，於是向朝廷報告，指稱前來獻馬的使臣不是您所派，不能比照往例賞賜，所以賞賜才減少。您也已經殺了誤傳信件之人。」

也先說：「不錯。」

楊善又繼續說：「再說貴國使者來京城買鍋子，這種鍋子只有南方才有，南方路途遙遠，所以一隻鍋子定價兩疋絹，您的使者只願意出一疋絹，雙方價格談不攏，賣鍋的人不做您使者生意，這種事皇上又怎麼會知道？」

也先笑一笑，說：「這也是。」

楊善見也先態度已經緩和下來，就說：「您是瓦剌的丞相，受到小人讒言[4]矇騙，竟忘了我們皇帝的恩惠，常常侵犯邊境，殺害我們士兵與百姓。難道您不知道上天有好生之德嗎？您不怕上天的懲罰嗎？」

也先狡辯：「不是我下令殺人，都是部下們殺的。」

楊善說：「這樣我們兩國的誤會是不是都澄清了？是不是應該

4　讒言：毀謗他人的言語。讒，音ㄔㄢˊ。

和好如初？現在請您下令撤兵，並放回我們皇帝，免得上天生氣降下災禍。」

也先接連回答：「是，是。請問英宗回國後，還能當皇帝嗎？」

「新皇帝已經即位，怎麼可能再換回去？」楊善回答。

「請問堯、舜時代帝位是如何傳承？」也先又問。

「堯讓位給舜，今天英宗是兄長，讓位給弟弟，這是一樣的道理。」楊善說。

也先的一個部屬插嘴問：「貴國前來迎接皇帝回國，會帶什麼禮物來答謝我們？」

楊善回答：「如果送禮物來，後世會嘲笑您貪財；如果我們不帶禮物前來奉迎皇上，則可以展現您的仁慈之心，我一定要求史官為您記上一筆，讓後世稱頌您。」

也先笑得很開懷，說：「很好很好，請好好為我寫吧。」

一天後，也先設宴款待楊善，同時也為即將放回的英宗餞行。楊善就是如此救回了英宗。（《智囊全集·語智》）

以前凡是獻計改善武器獲准的人，都升官受賞，所以大家爭相獻計。可惜，現在全都用不上了。

為什麼用不上？

如果明朝與瓦剌談和修好，這些兵器怎麼會派上用場？

齊格飛老師教你一招

　　如果對方蠻不講理，實力又很堅強，一時難以溝通，不妨先想辦法唬住對方。楊善就是這樣做，先告訴使者，已經加強了武器裝備，所以不怕你們來攻；等到也先接見，他才一一解釋彼此的誤會，開始講道理，告訴他們新皇帝已經接位，你們留著老皇帝其實也沒什麼用，也已經勒索夠了，不應該再要求禮物。在談判的時候，勇敢而善辯的楊善先表現有實力，再說不需互相衝

突，應該雙方友好，找到彼此的共識，這樣的談判技巧非常值得參考。

智慧小學堂

「窮則變，變則通，通則久」　　　　　　　——《周易·繫辭下》

情勢發展走到極致，無法繼續，就要進行改變，改變之後，事物的發展才有可能通達，不受阻塞，也才能永久發展下去。說明在困頓時，要想辦法改變現狀，不可坐困愁城，要想辦法進行改變與再求發展。

問題：面對衝突，找出大家都可以接受的方法是很重要的，你能每次都說明清楚，並且不畏懼說明自己的想法嗎？

❼ 話反過來說

《晏子春秋》

好，我鑽狗洞

晏子作為外交官出使到楚國去，因為晏子的個子很矮小，楚王命人在城門旁開了個小門，等著戲弄他。晏子到達楚國城牆外時，守衛對他說：「請你走大門旁邊那個小洞進去吧！」

晏子知道楚國要戲弄他，就說：「到了狗國，才走狗洞，我現在是出使楚國，怎麼會走狗洞？你要我鑽狗洞，就表示我來的是狗國。」

接待的官員一聽，嚇得臉色一白，只好請他從大門進去。晏子進去以後，拜見楚王。楚王故意問：「齊國都沒有人了，才派你來的嗎？」

晏子回答：「齊國的人非常多，我們的首都有上百條街道，人多到一起把衣袖舉起來就遮住了太陽；人們揮汗的時候就彷彿下雨一樣。大家在大街上走著都必須肩靠著肩，非常擁擠，您怎麼會說齊國沒人呢？」

楚王接著問：「既然如此，那麼為什麼派你出使我國呢？」

晏子神態從容地回答：「我們齊國派使者出訪有一定的規矩，有才幹的人，就派他們出使那些道德高尚的國家；至於那些愚蠢無能的使者，就派他們出使那些不成器的國家。我是我國最愚

蠢、最無能的人，所以就派我出使楚國了。」這一番話，讓楚國君臣們面面相覷[1]，半天說不出話來。

老鼠與狗

齊景公有一天問晏子：「治理國家，最擔心什麼？」

「有兩種東西最需要擔心。」晏子回答。

「是哪兩種東西？」

晏子一副莫測高深[2]的樣子，說：「廟裡的老鼠和酒店的狗。」。

「什麼？」齊景公聽得一頭霧水，露出不解的表情。

晏子解釋說：「土地廟是先用木頭搭建，再糊上泥土。老鼠來了就打洞，住在裡面，偷吃廟裡的供品。想要撲滅老鼠，如用燒火煙燻，怕木頭著火，燒毀土地廟。如用水灌呢，又怕沖壞了土地廟的泥土。這些老鼠就是因為仗著土地廟的關係，無法消滅。國家也有像土地廟中老鼠一樣的壞人，對內欺騙君王，對外作威作福。如果不殺他，他在朝中作亂；如果要殺他，君王又庇護他。您看，像不像土地廟的老鼠？」

晏子又說：「還有一種是酒店的惡犬。有一家酒店，賣的酒很好，店裡器具也很乾淨。但是酒就是賣不出去，最後酒都酸掉了。酒店老闆很苦惱，問鄰里的人：『為什麼我的酒這麼好，卻賣不出

---

1 面面相覷：互相對視而不知所措。
2 莫測高深：形容深沉無法探測。

去？』

　　人家就告訴他，『你的酒很好，但是酒店門口那條狗很兇啊！客人拿著酒器還沒進門，牠就狂吠，見了人就咬。大家想到要去你的酒店就害怕！還有誰敢去買你的酒？』

　　君王身邊也有像酒店惡犬一樣的大臣，見到賢能的人不但不推舉，反而故意陷害，不就像是惡犬咬人嗎？這樣，賢能的人不就無法為國家服務？」

　　最後，晏子說：「朝中大臣如果都像土地廟裡的老鼠，或是酒店的惡狗，您想，國家能治理好嗎？」

【漫畫經典】

治理國家，最擔心什麼？

廟裡的老鼠和酒店的狗。

君王身邊如果有小人，就像老鼠仗著住在廟裡而除不掉；像店門口有惡犬而沒有客人敢上門。

反過來看看

　　齊景公派晏子去治理東阿這個地方，三年後，把晏子叫回來，斥責他說：「我本來想，以你的才能，應該會將東阿治理得很好，可是聽說現在東阿亂七八糟，你回去好好反省！不然我就罷免你的職務。」

　　晏子謝罪說：「我知道錯了，請再給我一個機會，三年之後，如果還是不能治理好東阿，請您處死我。」

　　齊景公聽了這個請求，說：「好吧，就再給你三年時間。」

　　才第二年，晏子入朝回覆，齊景公親自迎接晏子，高興的說：「我已經聽說了，先生您將東阿治理得真好啊！我要好好獎賞您。」但是，晏子卻不肯接受，景公覺得很奇怪。

　　晏子才娓娓道來[3]：「我從前治理東阿，從不接受私人請託，也不接受送禮；池塘裡的魚，全用來救濟貧苦的人們。那個時候，百姓沒有人挨餓受凍，可是君王您聽信謠言，反怪罪於我，這是因為我得罪那些有權有勢的人。如今我治理東阿，聽從私人請託，接受財物餽贈；池塘裡的魚，都送給富貴人家；加倍收稅，但上繳給國庫反而比較少。這時，挨餓的百姓已超過半數，您卻迎接我、祝賀我，這是因為那些本來討厭我的人，開始說我好話。我是個愚笨的人，不能再繼續治理東阿了，請讓我告老還鄉吧。」

　　說罷，晏子拜了兩拜，轉身要走。景公非常震驚，趕緊離開座位挽留，說：「您再去治理好東阿吧！東阿是您的東阿，我不會再

3　娓娓道來：說話連續不間斷。

干預了。」

　　從此，在晏子的輔佐下，齊國越來越強盛。（《晏子春秋》）

【漫畫經典】

我聽說你把東阿治理得很差，你給我你回去好好反省！

我知道錯了，請再給我三年，如果還是不能治理好，就請您處死我。

我已經聽說了，先生您將東阿治理得真好啊！

我從前治理東阿，為了照顧百姓而得罪權貴，所以他們向主君告狀。如今我不管百姓死活，權貴得了好處，當然會說我的好話了。

齊格飛老師教你一招

　　晏子對於君王，不會直接去反駁，指正他們的錯失，不論是去出使楚國，或是應對自己的國君，他都以「正話反說」的方式，使對方知道什麼才是正確的道理。因為對上位的人來說，如果直接指責，可能會造成不良的影響，甚至導致殺身之禍，所以晏子用

這種方式，讓君王看見自己的過錯，聰明的君王，自然就會接受他這樣的諫言了。正話反說，有時也可以帶來意想不到的效果。

古典智慧學一學

「識時務者爲俊傑，通機變者爲英豪。」 ——《晏子春秋》

意思是能認清時代潮流，才是眞正聰明能幹的人，才能成爲出色的人物；而能靈活變通的人，才是英雄豪傑。

問題：你能不能像晏子一樣，轉一個彎或是舉反面的例證去說服別人呢？

❽你才不是人！機智反應是最好的武器

《世說新語‧言語》

太陽遠還是長安遠？

晉明帝小的時候，有一天被父親元帝抱著坐在膝上，剛好有人從因為戰亂已經陷落的長安來，元帝問起了當地的消息，回想起故鄉不禁潸然[1]淚下。

明帝問父親為什麼哭了，父親回答，因為戰爭所以他們才遷移到這裡來，現在想念起故都，所以難過得哭了。

淚痕猶在的父親問他：「你認為長安比較遠，還是太陽比較遠？」

「當然是太陽比較遠！」他回答。

「為什麼？」

「因為從不曾聽到有人從太陽來，只見到有人從長安來。」

父親感到很驚異。第二天召集群臣聚會，告訴他們昨天對答的經過，然後再重新問明帝一次：「太陽遠還是長安遠？」

「太陽比較近，長安比較遠。」明帝這次這麼回答。

父親嚇一跳，「你為什麼答的和昨天不一樣？」

明帝說：「抬頭可以看見太陽，卻看不見長安呀！」（《世說新語‧夙惠》）

---

[1]　潸然：流淚的樣子。潸，音ㄕㄢ。

怎麼說都有道理，不同的回答正是因為有不同的道理邏輯，不同的角度就會導出不同的答案。但是最後說看不見長安，觸動了因戰敗流落到他鄉的悲哀，這也可能是小小年紀的明帝了解了一點父親的哀愁吧。

汗不敢流出來

鍾毓、鍾會兄弟從小就很聰明，少年時期就很有名聲。鍾毓十三歲時，魏文帝曹丕聽說這兩個孩子的聰慧名聲，對他們的父親說：「我聽說你兩個兒子很聰明，可以帶他們來見我。」於是這一天奉旨進見。

當場只見哥哥鍾毓臉上流很多汗，魏文帝問：「你臉上為什麼流這麼多汗？」

鍾毓回答：「我見到皇上，戰戰兢兢，很緊張，所以流汗像流水一樣。」

弟弟鍾會的臉上沒有流汗，文帝轉頭問：「為什麼你沒有流汗？」

鍾會回答：「我見到皇上也是戰戰兢兢，很緊張，以致於汗都不敢流出來。」（《世說新語·言語》）

　　其實弟弟鍾會應是比較從容、不緊張，才沒有冒汗，但是他這樣回答既給了皇帝面子，不致讓皇帝覺得他見到大人物，卻不感到惶恐緊張，顯得不夠尊敬；另外也給了哥哥台階下，不會使哥哥看起來比弟弟還不如，同時又展現了機智與幽默感（汗都不敢冒了），一舉三得。

楊桃姓楊，孔雀是孔子家的

　　梁國有個姓楊的九歲小朋友很聰慧，有一位姓孔的先生來拜訪

他父親，不巧剛好父親不在，於是楊小弟弟拿水果出來款待客人，水果中有楊桃，這位姓孔的客人就指著說：「你們姓楊，這楊桃不就是你們家的水果。」拿人家的姓氏來開起玩笑。

面對客人的無禮，楊小弟回答：「這樣說倒奇怪了，我從來沒聽過孔雀是孔老夫子家的動物啊。」反將了他一軍。（《世說新語·言語》）

我們祖先是好朋友

孔融十歲的時候，隨著父親到洛陽這個大城市。當時李元禮富有盛名，做的是監督中央的大官，所以能登門到訪的不是青年才俊、達官顯要就是親朋至交，不然是進不了大門的。

有一天孔融來到李家門口，告訴看門的守衛說：「我是李家親戚。」於是他進了門，在前廳坐下。

李元禮不認得這個小朋友，問：「我跟您是哪裡的親戚呀？」

孔融回說：「從前我的祖先孔子，和你的祖先老子（姓李，名耳），曾經有師生的關係，所以我和您是世交通好的關係呀。」

李元禮和在座的客人們聽了都大感驚歎，有一位陳韙[2]的官員後來才到，別人告訴他這一段經過，陳韙就說：「小時了了，大未必佳（小時候了不起，長大未必出色）！」

沒想到孔融回答：「想必陳先生您小時候一定很了不起吧！」

2　韙：音ㄨㄟˇ，對、是的意思，這裡是人名。

陳韙感到大失顏面，侷促[3]不安起來。（《世說新語·言語》）

你才不是人

陳太丘和一位朋友約好見面，到了這一天，朋友過了中午都還沒到，陳太丘便出門去了，不料在他出門後，朋友卻到了。

當時，陳太丘的七歲兒子陳元方在門外嬉戲，客人問他說：「你父親在家嗎？」

他回答：「我父親等你太久，你都沒來，已經出門去了。」

這位客人生著氣說：「真不是人啊！和別人約好，卻沒有守約出門去了。」

陳元方說：「你和我父親約定中午要到，過了中午卻沒有準時到，這是不守信用；對著別人的兒子罵父親，這是沒有禮貌。」

這位客人被這樣數落，不由得感到很慚愧，下車想要逗弄陳元方，陳元方不理他，逕自進家門去了。（《世說新語·方正》）

3　侷促：不安適的樣子

齊格飛老師教你一招

　　這幾個小朋友，都不懼怕大人或權威，都懂得據理力爭，或是以對方無禮的言語，還以顏色，以子之矛攻子之盾。該反擊的時候就反擊，不必因為地位、身分或是年紀的差異，而白白受欺侮，只要站得住腳，有理走遍天下。甚至可以利用對方的語病，加以反擊，使對方知難而退就不是難事了。

智慧小學堂

「攻人之惡毋太嚴，要思其堪受；教人之善毋太高，當使其可
從。」
——《菜根譚》

　　責備別人的過失時，不可太嚴屬，要顧慮到對方能不能承
受，不可傷到對方的自尊心。當教誨別人行善時，不可期望太
高，要想到對方是否能做得到。

問題：機智反應不是硬拗或亂講，機智反應需要靈活的頭腦與
　　　清晰的口條，你願意多多練習嗎？
　　　面對大人或師長，你能夠不懼怕，勇敢表達自己的想法
　　　嗎？

❾先幫別人想

《智囊全集》

「大奸臣劉瑾，禍亂國家，殺害忠良，該如何是好？」書房裡，明朝將軍楊一清顯得很苦惱，向皇帝的使者張永談起這件事。

楊一清說：「如果讓他繼續為惡，不僅我們會有危險，國家也將陷入危難。請您一定要舉發他的罪狀。」說著拿出兩封給皇帝的奏章，一封是陳述如何平定當地叛亂的方略，另一封，則是說明劉瑾亂權謀逆的事情。

然後，楊一清特別叮囑張永說：「您回京回報皇上時，先呈上平定叛亂的奏章，皇上一定會進一步詢問詳情，您就趁機要求皇上，讓左右的人退下，再向皇上進第二道奏章。」

張永不免擔憂，說：「萬一沒有用，該怎麼辦呢？」

楊一清說：「如果是別人，我不敢說會有用。但是您受到皇上信任，您只要說得有條有理，向皇上陳述利害，一定會有用。

如果皇上還是不相信您的話，您就跪下叩頭，請皇上立即召見劉瑾，下令侍衛先查收劉瑾的兵器。您勸皇上親自查驗，如果找不到劉瑾謀反的證據，願意讓皇上殺了，拿去餵狗。接著再一邊痛哭，一邊不斷叩頭，這時皇上就會相信，一定會下令徹查劉瑾亂權謀反的證據。一旦劉瑾被皇上誅殺，您必定受到重用，那時以前的朝政缺失，就可以全力來矯正，那麼您就是國家的大功臣、大忠臣。這件事要趕快進行，不能再拖延。」

聽完後，張永很激動地說：「我已經一把年紀，為朝廷盡忠，哪裡是為求回報呢？」張永回京晉見皇上，事情的後續發展，果如楊一清所預料。

　　劉瑾被逮捕收押後，貶至南京。這時劉瑾上奏承認自己的罪狀，乞求皇帝賜一兩件舊衣蔽體。皇帝不忍，下令賜給他百件舊衣。張永見到皇上還憐惜著劉瑾，恐怕日後生變，與大臣中商議，請都察院[1]彈劾劉瑾。然而都察院彈劾的奏章中，提及許多原本和劉瑾有關連的大臣。

　　張永立即拿著奏章，到都察院說：「劉瑾專權的時候，就算是我也不敢挺身而出，更何況是其他人？今天國家政治敗壞，全是劉瑾一個人的過錯，不要連累他人，動搖人心，請你們立刻收回這道奏章，另外呈一道只針對劉瑾的奏章。」

　　後來，劉瑾果然被處刑，而受牽連的只有少數幾個人而已。

1　都察院：明朝時的監察機關，專門負責監督官員。

你勸諫時一定要謹慎，請他秉退左右，再強調你的忠心，這樣皇上才會聽進你的勸告，也會更賞識你。

齊格飛老師教你一招

　　楊一清看出，張永的建言，皇帝一定會採納，所以動之以情，說之以理，說服張永，使張永義無反顧，去向皇帝舉發劉瑾，這是楊一清的識人之明。而且更重要的，他富有智謀，設身處地先替張永想好了一套說詞，使張永覺得只要照做就不會有問題，果如他所料，最終達成了目的。而張永不希望牽連太多大臣，則是有遠見的作法，一來牽連太廣，事情不容易快

速解決，二來也可能使無辜的人受害。這兩個人都不愧是有見識、富智謀的人。

「知己知彼，百戰不殆」　　　　　——《孫子‧謀攻篇》

　如果對敵我雙方的所有情況都能通徹了解，行軍作戰就不會有危險，就越有可能獲得勝利。做任何事情，對於自己的能力與目標，都能清楚掌握，對於對手的實力與狀況，或是對於情勢的發展演變，也能盡力了解，那麼成功的機率就會提高很多。

問題：你會不會像楊一清這樣，時時站在對方的立場，為對方著想，想出對方可以接受的好辦法？

❿沉默的力量

《世說新語》、《三國志》

別說話

　　漢武帝的奶媽在宮外犯法，武帝想依法判罪，奶媽向東方朔求救，東方朔說：「依皇上的個性，這件事不是用言語就可以打動他，你如果真的想免於死罪，只有在向皇上辭別的時候，一直不斷回頭，用哀傷的眼神看皇上，但是千萬記住，不可以開口求皇上，或許僥倖能使皇上心軟而赦免你。」

　　奶媽在向武帝辭別時，東方朔隨侍在一旁，他對奶媽說：「你不要癡心妄想了，現在皇上已經長大成人，你還以為皇上記得你哺乳的恩情嗎？」武帝雖然性格剛毅，聽了這幾句話，不由得回想起奶媽的哺育之恩，感到很不忍心，嘆了一口氣，下令赦免奶媽的死罪。（《世說新語·規箴》）

不說話

　　由於曹植才名盛於一時，曹操有意廢太子曹丕，改立曹植為太子。

　　這天曹操命左右退下，召賈詡來商議改立太子的事，賈詡一聲不出，都不回答。曹操感到奇怪，說：「我跟你說話，你怎麼都不作聲？」

　　賈詡說：「我正在想一件事，所以不回答您。」

　　曹操知道這個謀士一定有所考慮，才故意這樣，只好又問：「您在想什麼事呢？」

賈詡說：「我在想袁紹、劉表兩家父子的事（這兩人都因為廢長子，改立幼子為太子接位，而引發內部分裂，導致敗亡）。」

曹操聽了哈哈大笑，從此不再提改立太子的事。（《三國志·魏書》）

齊格飛老師教你一招

有時沉默更有力量。奶媽不說話，用神情打動武帝，勾起他懷念感恩的情感，這是東方朔了解武帝的個性，說理說不過，不如動之以情。賈詡不說話，反而勾起了曹操的好奇，然後他也不直接反對曹操的意見，而是舉別的失敗例子，讓曹操自己去意會；對曹操這等聰明的人，這樣的效果比直接反對更有力。

誰看過鳳凰？

有人為了想升官，上書皇帝說：「山西的紫碧山蘊藏石膽，根據古書記載，服用石膽可以延年益壽。」皇帝於是派人監督進行開採，但是一直找不到石膽。

經年累月的挖掘，使得當地百姓勞苦不堪，怨聲載道，紛紛向按察使訴苦。於是按察使下令，採集形狀類似石膽的小石子，去交給監督開採的官員。官員一看，大為生氣說：「這簡直是欺騙皇上！石膽在古書籍中早有詳細的記載，怎麼可能找不到？」

按察使回答說：「鳳凰、麒麟在古書上也有記載，現在有人看過嗎？」

這件事就此不了了之。（《智囊全集·語智》）

> 皇上要找石膽，石膽在古書籍中早有詳細的記載，怎麼可能找不到？

> 鳳凰、麒麟在古書上也有記載，現在有人看過嗎？

飛走的鳥

　　齊王派淳于髡（ㄎㄨㄣ）去楚國進獻一隻黃鵠鳥，豈知剛出城門不久，不小心讓那隻黃鵠飛走了。他只好托著空籠子，心裡編了一篇謊言，前去拜見楚王說：「齊王派我來進獻黃鵠，經過河邊時，我不忍心看黃鵠口渴，放它出來喝水，沒想到牠就飛走了。我想要為此自殺，又擔心大王被人說因為一隻鳥而害死一個讀書人。黃鵠這種鳥雖然稀有，但類似黃羽毛的鳥有很多，我想買一隻來代替，但一想這是欺騙大王，萬萬不能。想要逃到別的國家去，又擔心齊楚兩國的感情從此交惡。因此，我只有前來認罪，請大王責罰

我。」

　　楚王說：「原來如此，很好，齊國竟然有你這樣忠心、講信義的人。」不僅不處罰他，還賞賜他許多禮物。（《史記・滑稽列傳》）

齊格飛老師教你一招

　　處在不利的狀況下，有時不必針對問題提出解答，而是可以想辦法讓問題本身自動消除。按察使舉出同樣古書有記載的鳳凰、麒麟不可能找得到的同樣邏輯，使得問題自動解除；淳于髡一番話處處爲他人著想，雖然聽起來未必像是眞的，但讓人覺得他的想法很貼心，所以他獲得原諒和賞賜。

智慧小學堂

「言近而指遠者；善言也。」　　　　　　　——《孟子・盡心下》

　　言語雖然淺顯易懂，所包含的意義卻很深遠，這是眞正的會說話。有時簡單的言語，由於沒有雕飾、沒有繁複的意思，比起長篇大論反而更容易直接打動人心。

問題：該說話的時候說得有條理，該閉嘴的時候閉嘴，你辦得到嗎？

　　　應該說話簡潔的時候，你也能表現出言簡意賅嗎？

智謀的運用

❶ 我很聰明，會想辦法

《三國志》、《世說新語》、《宋史》

大象有多重？

「哇！原來這就是大象，真的好大啊！有長長的鼻子還有大耳朵。」有人送給曹操一頭大象，眾人都沒見過，此刻聚集圍觀，讚嘆聲此起彼落。

我叫曹沖，今年六歲，跟著父親曹操一起來看大象。

父親問：「誰有辦法秤出這頭大象有多重？」

大家面面相覷，提不出好辦法。有人說要打造一桿大秤，有人說把大象切成一塊一塊……通通不得要領，一會兒後沒有人再出聲。

這時我想到一個辦法，我站出來用稚嫩的聲音說：「我有辦法！」

「什麼辦法？」大家都很好奇。

我說：「先將大象牽到一條大船上，船沉下去時，在船身鄰近水面的地方做一個記號，把大象牽下船後，再將一筐一筐的石頭抬上船，等船下沉到做記號的地方為止。然後將一筐一筐的石頭秤出重量，加起來就是大象的體重了。」

父親聽我說出解決方法，心下很高興也很得意，非常以我為榮，不停點頭微笑，馬上派人照著我的主意，秤出大象的體重。

（《三國志‧魏志》）

爸爸的驢子

我叫諸葛恪，我的爸爸是諸葛瑾，諸葛亮是我的叔叔。我和父親諸葛瑾都在東吳孫權朝中任職。由於父親的臉很長，常常被取笑是「驢子臉」。

這天主公孫權召集群臣聚會，想捉弄父親，於是叫人牽一頭驢子過來，在紙上寫了父親諸葛瑾的名字，貼在驢的臉上，大家見了嬉笑不已。

我心裡很難受，立刻跪下來說：「主公，請求您讓我用筆添加兩個字。」

孫權說：「好，你加吧。」

我拿起筆，在紙上父親名字之後接下去寫：「之驢」二字，合起來就變成：「諸葛瑾之驢」。

見到我的機智，在場眾人都笑了，孫權便說：「好，這頭驢就賜給你了。」我解除危機還賺到一頭驢。（《三國志‧吳志》）

沒人吃的李子

我叫王戎，七歲。我和一群小朋友在路邊玩耍，大家看見路旁的一棵李樹上結滿了果實。

每個小朋友都爭先恐後爬上樹摘李子，只有我不想摘，待在旁邊沒有動作。

一個小孩問：「王戎！你為什麼不去摘果實？」

我回答：「這樹就長在大路旁，樹上還能有這麼多果實，都沒有人摘，表示這些李子一定很苦。」

大家都說：「我不相信。」一個個拿起果實，放進嘴裡一咬，「哇！好苦啊！」

看到大家紛紛吐出苦澀的李子，我在一旁嘻嘻笑起來，「看吧！」我心裡想。（《世說新語》）

【漫畫經典】

這樹就長在路旁，樹上這麼多果實都沒有人摘，表示它一定很難吃。

打破水缸救人

我叫司馬光，我從小就很早熟，七歲時，聽大人講《左氏春秋》的故事，覺得很喜歡就記在心中，回家講給大家聽，大家覺得很驚奇。我從此變得很愛讀書，長大後我成為一個大文學家兼政治家。

那年夏天，我和家裡的小朋友一起在院子玩，院子邊上放著一個大水缸。玩著玩著，一個小朋友爬上水缸，一不小心「噗通」一聲掉了進去，整個身體都淹沒了。

這一幕嚇呆了其他小朋友，紛紛逃離現場，我冷靜地拿起一顆大石頭，用力砸向大水缸，「匡噹」一聲，大水缸被我打破了，掉在裡頭的小朋友便隨著水從破洞中流了出來，保住一命。（《宋史》）

齊格飛老師教你一招

　　曹沖想出測量大象體重的方法，運用的是科學的精神；諸葛恪為父親解圍，靠的是機智與膽識；王戎不摘李子吃，因為有先見之明；司馬光救朋友，是臨危不亂，隨機應變。這幾個孩子的共通點是，對於外在的事物變化，總能夠抱持冷靜思考的腦袋，很快想出解決的辦法。其實這並不容易，但我們可以在平時多多觀察，讓自己有機會多思考練習，如果別人的狀況發生在我身上的話，我會怎麼辦？

智慧小學堂

「變則新，不變則腐；變則活，不變則板。」

——《閒情偶寄》清·李漁

　　靈活變通則能創新局面，不懂得變通則造成阻塞迂腐；懂得變通就能活學活用，活化發展，不懂得變通活用，則會形成僵化死板。

問題：你願意接受各種挑戰嗎？

　　面對難題，需要多觀察、多練習，有時需要很快拿出主意；你會不會經常動動腦筋，想出解決辦法？

❷打廣告，諸葛亮很會

《三國演義》、《三國志》

「三顧頻煩天下計，兩朝開濟老臣心。」這是唐朝詩人杜甫寫諸葛亮的詩句，提到大家耳熟能詳劉備「三顧茅廬」的故事。但是，大家有沒有想過，為什麼劉備要對一個隱居的平民百姓、沒有任何功業的諸葛亮三顧茅廬，請他出山打天下呢？

在三顧茅廬之前，劉備已經聽說了諸葛亮的大名，非常景仰，他又是如何得知？原來是透過很多名人的推薦，還有歌謠傳誦的幫助。《三國演義》中，劉備第一次聽到諸葛亮是出自於一位謀士徐庶，他說：「有一個世間奇人叫諸葛亮，如果得到這個人就能得到天下，像是周朝得到姜太公，劉邦得到張良。」

劉備問：「你已經這麼傑出，難道他比你還厲害？」

「拿我和諸葛亮比，就好像一隻劣馬比麒麟，烏鴉在比鳳凰啊！」徐庶如此回答，劉備感到十分驚異。

後來，又有一位名人司馬徽來拜訪劉備，一樣的推薦諸葛亮，說：「諸葛亮非常傑出，乃是『臥龍先生』，隆中高臥，等待明主。」點明諸葛亮就是劉備爭霸天下的關鍵。

於是劉備趕快準備禮物，帶著關公和張飛去拜訪諸葛亮。但是直到第三次，才見到諸葛亮，張飛都快氣炸了。

在這三次往返中，劉備遇到一些人，這些人唱的歌、吟的詩句引起了劉備的注意，例如在路上聽到一位農夫唱歌，歌詞中有「南

陽有隱居，高眠臥不足」，劉備就問這麼高雅的歌是誰作的？農夫回答是來自臥龍先生。

接著在酒店中也有人在唱諸葛亮作的歌曲，歌詞氣勢高妙，原來是諸葛亮的朋友，到了草廬，諸葛亮的弟弟也在唱諸葛亮的歌，劉備發現不管是鄉人、朋友或兄弟都這麼有水準，對諸葛亮的歌謠都能琅琅上口，而且歌詞的意境都很高，劉備不僅留下深刻的印象，也對諸葛亮本人懷抱極高的想像與期待。後來又遇到諸葛亮的岳父，也是襄陽當地的富豪仕紳，口吟一首關懷天下的詩，劉備一問之下，發現原來也是諸葛亮的詩，因此，更加堅定了一定要邀請諸葛亮當軍師的心。（改編自《三國演義》）

所以劉備見到諸葛亮之前，藉由名人的推薦，以及朋友、居民的口耳相傳，已經對於諸葛亮有了美好的印象，也更急迫的想要認識諸葛亮，請他當軍師來幫助爭霸天下。

諸葛亮有沒有讓劉備失望呢？還好，諸葛亮果然有真才實學，當然沒有讓劉備失望。

第三次拜訪，劉備終於見到了諸葛亮，請大家先避開之後，問說：「漢朝已經崩毀，奸臣竊取了政權，皇上奔走逃難。我不自量力[1]，想要伸張大義，但是我的智謀淺陋，因此數次失敗，但是我並沒有放棄我的志向，您可以告訴我，該採取什麼樣的策略呢？」

諸葛亮為他剖析天下大勢，說：「自從董卓奪權亂政，各地

---

[1]　不自量力：過於高估自己，不知衡量自己的能力。

豪傑之士紛紛乘機起兵，雄霸一方。其中，曹操雖然比袁紹地位低微，兵力弱小，然而曹操最後戰勝了袁紹，由弱變強，這不只是有天時地利而已，最重要的是謀劃策略正確。

如今曹操已經擁兵百萬，並且挾制天子，向諸侯發號施令，勢力已成，無法直接向他挑戰了。

至於南方的孫權，占有江東地區，統治已經歷三代，那裡地勢險要，老百姓全心歸附，賢能的人都願意輔佐他，因此和孫權只能結為盟友，不能去圖謀他。

現在荊州這個地方，北邊有兩大河漢水、沔水作屏障，南至海邊有豐富資源可以利用，東邊連接吳郡，西通巴蜀[2]；這裡是用兵的戰略要地，但是這裡的統治者劉表沒有能力，守不住這塊地方，這是上天賜給您的良機。

而西邊益州地勢險要，土地廣大又肥沃，是富饒之地，漢高祖劉邦就是靠這裡成就了帝業。但是，益州的地方首長劉璋昏昧無能，所以儘管那裡人口眾多、富庶豐饒，他卻不知道要愛惜人民，導致當地的人都渴望有別的英明君主，而且北邊還有勢力強大的人和他作對。

您既是漢室的後代，好名聲又顯揚四海，廣交天下英雄，求賢若渴[3]，如果您領兵占據荊州、益州兩個地方，作為根據地，掌控險要，西邊與諸族和睦相處，南邊安撫夷越的少數民族，對外與孫

2　巴蜀：今中國四川一帶。
3　求賢若渴：慕求賢才，有如口渴急於飲水。形容求才的心情非常迫切。

❷打廣告，諸葛亮很會　　**121**

權結盟，對內安定百姓。等候時機，一旦天下形勢發生變化，就派遣大將軍率領荊州部隊出兵，您則親自揮軍出益州，所經過地區的百姓，誰還不擔著豐盛的酒食來迎接您呢？如果這樣的話，您就可以成就霸業，恢復漢室了。」

　　劉備大爲高興，對關公、張飛說：「我得到諸葛亮，如同魚有了水一般！」

　　這就是有名的「隆中對」，三分天下大計！（《三國志》）

【漫畫經典】

齊格飛老師教你一招

　　諸葛亮一介平民，沒有絲毫豐功偉績，卻能讓一方霸主劉備三顧茅廬，靠的就是透過名人朋友的推薦，並在詩歌當中顯露自己的志向，讓許多地方人士傳播，這就是我們現在所說的「打廣告，做口碑」。諸葛亮如果不這樣做，是不可能讓自己的名聲遠播，而激起劉備的渴慕之心，急於想要找他來幫助打天下。然而諸葛亮確實也有真才實學，能夠在一席談話之後，定下了劉備未來成功的重大策略。換句話說，如果真的有才能，也要有方法讓名聲散佈出去，不然沒有人知道不是很可惜嗎？這時就要善用各種管道，不管是媒體也好、朋友也好，都可以倚為助力，為自己開創更多的好機會。但記得一定要先充實自己，使自己有料才行，不然不就變成「假廣告」了嗎？

 智慧小學堂

「非淡泊無以明志，非寧靜無以致遠」——諸葛亮《戒子篇》

　　高尚的君子，不恬淡寡慾無法明確自己的志向；不以寧靜的生活和心情，排除外在的干擾，無法達成遠大的目標。諸葛亮告訴大家不貪不求，無欲則剛，保持內心寧靜，是向自己人生目標前進的最好準備。

問題：找出自己的優點，讓別人幫你說好話、獲得好印象，你
　　　有沒有學到諸葛亮的好辦法呢？

❸裝死賺更多

《史記》、《智囊全集》

趕快裝死

春秋時齊國內亂，王位繼承人們紛紛出走避難，公子糾躲到魯國，公子小白（後來的齊桓公）投奔莒。不久之後，齊國國君被殺害，為了要爭取王位，公子糾與公子小白，都想搶先回到齊國，兩人急急趕路，沒想到在半途上相遇，輔佐公子糾的管仲舉弓，一箭射中公子小白。管仲見到小白中箭後俯臥在馬車上，以為小白已經死了，便對公子糾說：「公子安心吧，小白已經被我射死了。」於是他們好整以暇的慢慢趕路。

等他們回到齊國時，公子小白已經登上王位。

原來管仲那一箭射中的是小白腰帶上的環扣，隨從鮑叔牙當機立斷[1]，對小白說：「趴著別動，裝死。」騙過了管仲，然後他們快馬疾行先回到齊國，成為齊君。（《史記‧世家》）

---

[1] 當機立斷：抓住時機，立刻做出決斷。

假裝學屈原

　　明朝的王守仁（號「陽明先生」）獲罪而被貶至貴州龍場驛，前往驛場路上，在長江作了一篇《吊屈平賦》憑弔²屈原，表明懷憂的心志，又寫了一首《投江》，拋下衣物到江中，叫僕人假裝祭拜，使人誤以爲他已投江自盡。

　　打壓王守仁的宦官劉瑾，本來對他仍怒氣未消，打算派殺手去

2　憑弔：對著遺跡追念古人或舊事。

暗殺他，在京師看到了王守仁所寫的詞、文，又聽到消息回報，以為王守仁已經投江自殺了，才打消了追殺他的念頭，王守仁因此保住了自己的性命。

【漫畫經典】

裝作沒事

　　楚漢兩軍對峙很久都無法分出勝負，有一天對陣的時候，項羽對劉邦說：「如今天下所以紛擾不安，原因就在於我們兩個人相持

不下[3]。不如乾脆一點，我們兩個單挑，打一架看看誰贏誰輸，省得天下許多人為了我們兩個而送命。」

「哈哈，我寧可和你鬥智，也不想和你鬥力。」劉邦這麼回答。

後來項羽和劉邦在廣武山隔軍對話，劉邦列數項羽十條罪狀，項羽聽了後，不由火上心頭，當即舉弓一射，正中劉邦前胸。

「唉呀！」中箭的劉邦大叫一聲，卻忍痛彎身摸腳說：「這個野蠻人射中我的腳趾了。」

其實，劉邦受傷十分嚴重，幾乎下不了床，這時張良要求劉邦強忍痛楚起身巡視軍隊，除了安定軍心，更要讓項羽以為劉邦只受輕傷，不敢乘機進攻。後來劉邦才一離開軍營，便因傷重不支立即回後方休養了。（《智囊全集‧捷智》）

齊格飛老師教你一招

這三個人都因為情況不利，靠偽裝躲過了大禍，鮑叔牙要沒有受傷的齊桓公假裝中箭而死；王守仁寫了假遺書；漢高祖劉邦受重傷卻假裝不嚴重，他們臨機應變的一時之計，解了眼前的困厄，才有以後創造功業的機會！所以，該裝死就裝死，該裝呆就裝呆，該裝沒事就要裝沒事，要見機迅速應變，這才能度過突然面臨的難關，為自己保留改變局面的機會，這就是「機智」。

---

[3] 相持不下：彼此對峙，不肯退讓或勝負未決。

智慧小學堂

王守仁：「破山中賊易，破心中賊難。」

——《與楊仕德薛尚謙書》

　　王守仁在掃蕩山賊之後，說：「要應付破除外在的敵人，不是難事，但是要破除自己心中的敵人，才真正困難。」我們最大的敵人往往是自己，因為人們常常自欺欺人，不願意面對現實；但是騙得了別人，騙不了自己，唯有自己知道自己真正的壞習慣、真正的怯懦……，而且這些往往是自己不敢面對、無法去克服的。然而，那些克服了自己心中惡魔的人，才能取得最大的成就，才是成功的人。

問題：如果處於不利的情況，你懂不懂得學習故事中的主角，
　　　裝傻一下？

❹什麼計策都拿來用吧

《戰國策》

「父王過世了，我卻還在齊國當人質，唉！」感傷的楚國太子喃喃地說。

他去向齊王請求回國繼承王位，卻遭到齊王拒絕：「除非你願意割讓東地五百里給我國，否則不准你回去！」

太子很爲難，說：「我有一位老師，請您准許我請教他後，再回覆您。」

這位老師名叫愼子，聽完經過，他對太子說：「爲了贖回您自己，必須要割土地給齊王，而且如果因爲愛惜土地，不回國爲父王奔喪，這乃是不孝的行爲。所以我主張答應割地給齊王。」

太子便向齊王覆命說：「我願意獻五百里土地給您。」

因此，太子獲准回國，即位爲楚王。齊國立即派出五十輛兵車前來接收割讓的土地。楚王對愼子說：「老師，齊國已經派人來要土地，現在怎麼辦？」

愼子說：「您明天上朝接見群臣時，讓大臣們各獻一計。」

第二天早朝，楚王說：「我之所以能回國爲先王奔喪，進而即位爲王，是因爲答應割給齊國五百里土地。現在齊王派人來要土地，大家說該怎麼辦？」

大將軍子良回答：「大王您不可以違約，因爲君王的話就像金玉般貴重，一言既出，駟馬難追；違約就是失信，以後其他諸侯就

不會願意再和我們結盟訂約。所以不如先割土地給齊王，然後再發兵攻占回來。給齊王土地是守信，發兵攻占是展現強大武力，所以我主張割土地給齊國。」

另一位大臣昭常卻說：「大王不可以割給齊國土地。因為所謂萬乘[1]大國，全是憑藉土地廣大，現在如果割給齊國五百里土地，等於割去楚國一半的國土，我國就只剩萬乘的空名，實際上連千乘都稱不上，這萬萬不行。所以我主張不割讓土地，而由我率兵鎮守當地。」

大臣景鯉也說：「不可以給齊國土地，但是因為您已經答應給齊國五百里，卻又背約不給，這樣是不守信用，我國沒有能力抵抗齊國的藉機入侵，所以請讓我去向秦國求援。」

楚王將三位大臣的建議告訴慎子，問：「您認為應該採取哪一位大臣的計策？」

慎子說：「三個人的意見，全部採用。」

楚王既納悶又不高興：「您這樣說是什麼意思？」

慎子回答：「請您聽我說明。您先撥給子良兵車五十輛，向齊過獻地五百里；子良出發之後，第二天再派昭常為大將軍鎮守東地；隔一天，再派景鯉率兵車五十輛去向秦國求救。」

楚王雖然不完全明白用意，但還是依他所說行事。

子良到齊國獻地之後，齊國便派使者來準備接受土地。

駐守當地的昭常接見齊國使者後，說：「現在我負責鎮守東

---

[1] 萬乘：指戰鬥馬車的數量達一萬輛。

地，決心與東地共存亡，這裡小自五尺高的孩童，老至六十歲的老翁，共集結有三十多萬人的部隊；我們的武器盔甲雖然破舊，卻不怕沾上戰場的塵土。」

使者回報齊王，齊王大怒，對留在齊國的子良說：「您來獻地，但是昭常卻又率軍鎮守，不肯割地，這是什麼意思？」

子良回答說：「我們大王親自下令我來獻地，是昭常違背命令私自用兵。」

齊王一怒之下，發動大軍攻打昭常，可是才剛出發，秦國來援的五十萬大軍行伍儼然[2]，已經等在齊國邊境，氣勢懾人，秦國將領對齊王說：「阻撓楚太子回國，這是不仁；趁機勒索楚國土地五百里，這是不義。齊國不仁不義，如果不立刻退兵，只有開戰。」

齊王聽了不由得非常害怕，說：「我打消攻打楚國的主意了。」同時派使者去秦國求情。由於慎子的計謀，楚國不但解除了威脅，並且不費一兵一卒保全了國土。（《戰國策‧楚策》）

---

[2] 儼然：這裡指整齊的樣子。

齊格飛老師教你一招

　　慎子的獨到之處，在於他能審慎判斷情勢，太子首要之務當
然是先回國繼承王位，所以不得不先答應齊國的條件。回國之
後，如何因應齊國的要求，他則判斷，每個大臣一定會有自己的
立場，根據不同的立場，一定會有不同的對應之道。所以他綜合
三個大臣的計策，同時加以運用，這樣一來，反而可收面面俱到
的效果，正所謂「三個臭皮匠，勝過一個諸葛亮」，一時沒有最
佳的辦法，不如找大家一起來集思廣益。

智慧小學堂

「處變不驚，慎謀能斷。」 ——慣用語

　　處於詭譎多變的情勢中，仍不驚惶失措；凡事細密的策劃，謹慎的謀慮，並能夠當機立斷。

問題：聽取別人的意見，獲取不同的看法，再加以運用，也是解決問題的方式，你懂得集思廣益、靈活運用嗎？

❺ 買這些東西對嗎？

《戰國策》、《史記》

買了馬的骨頭

　　燕王急於想招納有才能的人，振興燕國，他向大臣郭隗（ㄨㄟˊ）請教：「要如何才能得到賢良的人？」

　　郭隗說：「我講一個故事給您聽。從前有一位國君，想要用千金買一匹千里馬，可是經過了三年，都沒有買到。有一位侍臣自告奮勇願意去買千里馬，這個人花了三個月的時間，打聽到某人有一匹千里馬。

　　可惜的是，等他趕到時，千里馬已經死了。於是，他用五百金買了馬的骨頭，回去獻給國君。國君看到用五百金卻只買回馬的骨頭，非常生氣！這時只聽買馬骨的人說：『我買千里馬的骨頭回來，是為了讓天下人知道，大王您是真心想出高價買千里馬，連千里馬的骨頭都花五百金買下來，何況活馬呢？想必從此大家都會獻上千里馬來給您。』果然，不到一年時間，各地送來了三匹千里馬。」

　　郭隗講完故事，對燕王說：「您要是真心想得到人才，必須要像買千里馬的國君那樣，讓天下人知道您是真心求賢。您不妨先從我開始，要是人們看到像我這樣平凡的人都能得到您的重用，比我更有才能的人就會來投奔您。」

燕王聽完，覺得很有道理，於是拜郭隗爲師，爲他修築宮院，還給他豐厚的俸祿。這個消息一出，各地賢才果然紛紛來投奔。（《戰國策·燕策》）

【漫畫經典】

買了「義」

　　又到了收取各地稅金與債款的時節，孟嘗君這次派馮諼（ㄒㄩㄢ）到薛地去收債。臨行前，馮諼向孟嘗君請示：「收完債後，您需要買些什麼東西回來嗎？」

孟嘗君答：「先生您看我家裡缺什麼，就買些什麼吧！」

馮諼來到薛地後，把所有負債的人都召集起來，核對完帳目後，他對大家說：「奉孟嘗君之令，免去所有人的欠款。」並且當著大家的面燒掉所有借據，一時之間，百姓感激不已，陣陣歡呼。

做完這些，馮諼即刻返程。孟嘗君沒想到他這麼快回來，問他說：「債都收完了嗎？」

馮諼回答：「都收完了。」

「那您為我買了什麼東西呢？」看他沒帶東西回來，孟嘗君又問。

馮諼不慌不忙回答：「您說看家裡缺少什麼就買什麼，我想您已經有數不盡的奇珍異寶，數不清的牛馬，美女也占滿房室，家裡缺少的只有『義』。所以，我為您買『義』回來。」

孟嘗君不知所云，問：「『買義』是什麼意思？」

馮諼答：「您沒有照顧、愛惜封地的人民，還借款給他們收取高利息，人民苦不堪言。我捏造您的命令，燒毀了所有借據，欠債一筆勾銷，民眾都歡呼不已，這就是買『義』。」

孟嘗君聽完之後，一臉不高興，覺得這人的舉動莫名其妙，但是沒多說什麼。

一年後，齊王削除孟嘗君的職位，將他趕出國都，孟嘗君只好回到薛地。才剛進入薛地，沿途百姓扶老攜幼夾道歡迎，個個感激問候孟嘗君，這時他恍然大悟，既感動又感嘆，說：「此刻我才明白馮諼『買義』的意思啊！」(《戰國策‧齊策》)

買了「一個人」

　　子楚在趙國邯鄲（ㄏㄢˊ ㄉㄢ）當人質，處處受限制，日常所需都很簡陋，生活很不如意。呂不韋來到邯鄲做生意，見到子楚，可憐他的遭遇，自言自語說：「子楚就像一件奇貨，可以買下收藏，待價而沽[1]。」

　　懷著如此的想法，他前去拜訪子楚，對他說：「相信我，我能

1　待價而沽：比喻人等待機會，為世所用。

光大您的門庭。」

子楚苦笑著說：「您先想辦法光大自己的門庭，再來說光大我的門庭吧！」

呂不韋一臉正經，「您不懂啊，我的門庭就是要靠您的門庭光大了，才能光大。」

子楚聽出呂不韋說的弦外之音[2]，拉他坐下深談。呂不韋說：「秦王年紀已大，安國君被立為太子；我聽說安國君非常寵愛華陽夫人，華陽夫人沒有兒子，但只有她才有辦法建議繼承人是誰。您的兄弟有二十多個，您排行中間，又不受秦王寵愛，長期被留在趙國當人質。一旦秦王去世，安國君繼位為王，您難道能指望和其他兄弟爭太子之位嗎？」

子楚若有所思，說：「事實是這樣沒錯，那該怎麼辦？」

呂不韋說：「您在此地當人質，生活窘困，也拿不出什麼東西來孝敬父母、結交賓客。我呂不韋雖然不富有，但願意拿出千金來為您去秦國遊說，敬奉安國君和華陽夫人，讓他們願意立您為繼承人。」

聽到這話，子楚叩頭拜謝說：「如果您所說的都實現了，我願意將秦國與您共享。」

呂不韋於是拿五百金給子楚，作為日常生活和結交賓客的花費，又用五百金買了許多珍奇玩物帶去秦國。他先去拜見華陽夫人的姐姐，透過姐姐的安排，將帶來的珍寶獻給華陽夫人。呂不韋說：「子楚聰明賢能，結交的都是天下諸侯、名士，並且常常流

2　弦外之音：比喻言外之意。

著淚說：『我子楚把夫人當作上天一般，日夜哭泣思念太子和夫人。』」

華陽夫人收了禮物，又聽了這些話，心裡非常高興。呂不韋又讓夫人的姐姐勸說她：「一旦年華老去，不再受到君王疼愛，那時就會一無所有，如果沒有一個兒子作爲依靠，以後您怎麼辦呢？」

華陽夫人深有所感，便去向太子安國君說：「在趙國做人質的子楚非常有才能，大家都很稱讚。我很遺憾沒有生下兒子，子楚待我如母親，我也將他當成我自己的兒子，希望您讓他作爲您的繼承人，使我以後有所依靠。」安國君因此答應立子楚爲繼承人。

子楚即是秦始皇的父親。（《史記·呂不韋列傳》）

齊格飛老師教你一招

第一個故事是成語「千金買骨」的典故，第二個故事是「焚券買義」的由來，第三個故事是我們熟悉的「奇貨可居」源由。郭隗用買千里馬的故事告訴國君，吸引人才的好方法；馮諼則用實際行動，免去人民的負債，人民因此感激孟嘗君，使孟嘗君落難時受到歡迎，連國君都聽聞而後悔；呂不韋則是靠著識人的眼光和過人的口才，使子楚成爲秦王，也才有後來的秦始皇。這幾個人都懂得什麼是好的「投資」，知道應該把錢花在值得花的地方，因此獲得出人意料的回報；這需要有過人的眼光、對未來情勢變化的嗅覺，以及願意投入資源的膽識。

智慧小學堂

白圭：「人棄我取，人取我與。」 ——《史記·貨殖列傳》

　　別人不要時，我買進這些東西；人們需要時，我再賣出。指低價賤賣時購入，高價搶購時賣出，一種擇時買賣貨物的投資策略，由於有獨到的先見之明，不隨眾人起舞，通常能獲得較佳的利潤。

問題：所謂的好投資，就是先看出以後可以獲得更好的回報，
　　　你能不能從現在開始，培養投資的眼光呢？

❻聯想力是你的預言力

《智囊全集》、《呂氏春秋》

便便攻擊

夏老先生是一位富有的大貴族，有一次乘船經過市場橋下，突然來了一個挑糞的人，一彎身子，將桶中的糞便噴濺入他的船，「啊！」的一聲，夏老先生嚇一跳，衣服也被弄髒了。

他抬頭一看，是一個舊相識，但這人卻裝作沒看到。老先生的僕人很生氣，挽起袖子想打他，夏老先生說：「等等，這是因為他不知情，如果他看到是我，怎麼會故意冒犯我呢？」於是將他打發走。

回家後，夏老先生隱隱覺得事有蹊蹺[1]，打開債務帳冊翻閱，一查之下，原來這個人欠了他三十兩錢，大概是無法償還，想藉此求死。夏老先生心中不忍，當場拿起欠條撕毀，不去索討。

---

[1]　蹊蹺：怪異而違背常情。蹊蹺，音ㄒㄧ　ㄑㄧㄠ。

太厚道的宰相

　　十分受到眾人景仰的呂原辭去宰相職位，剛回到故鄉。偏偏有一個鄉下人喝醉酒，對著他大罵，僕人想上前教訓他，呂原拉住僕人，不許與他計較。

　　一年之後，這個人居然犯了死罪入獄，呂原才後悔說：「唉！假使當初稍微教訓他一下，甚至送到官府去，施以小小的懲罰，可以給他一個警惕，也不致於讓他不知節制，最終犯下死罪。我只想到維持自己的厚道，反而讓他的惡行變大，我應該慚愧。」這是一位仁慈的人的自我反省。（《智囊全集·明智》）

【漫畫經典】

突然潑濺糞便，或是喝酒鬧事，像這一類有前因後果可循的事，應該要探明清楚源由，依據實情加以規勸與原諒，並且要求不可再犯。但是，如果是對方做了不合道理或是逾越法律的事，就應該給予應有的懲戒，不可寬貸，才不會造成更大的傷害。上面兩個故事的主角，作法相同，效果卻不一樣，表示智慧的運用，猶如活水，不可拘泥於一種方法，要依據實情實理，做出恰當的反應。

不快樂的音樂

魯國派邱（ㄏㄡˋ）成子為使臣出訪晉國。經過衛國時，好友谷臣請他留下來飲酒，並安排音樂演奏，但是不論是樂曲或是他的神情，卻不顯得喜樂。酒酣宴罷之後，他送邱成子璧玉作為贈別禮。

但是邱成子完成任務，回程再經過衛國時，卻沒有回訪谷臣告別。

邱成子的僕人問：「先前谷臣請您喝酒，還送您璧玉，為什麼您回來經過衛國，不去向他道別？」

邱成子說：「谷臣招待我喝酒，是要和我一起相聚；安排音樂演奏，卻沒有喜樂之情，是要告訴我他心中有憂愁；後來送我璧玉，是將它託付給我。種種跡象看來，衛國將有動亂發生。」

離開衛國才三十里，就聽說衛國發生動亂，谷臣被殺害。邱成子立刻說：「掉頭回去！去衛國谷臣家。」他祭拜谷臣之後才回

魯國。回到家後，派人去迎接谷臣的妻子，安排住宅給她和家人居住，用自己的俸祿供養她，等谷臣的兒子長大後，將璧玉歸還。

孔子聽聞這件事，說：「觀察入微，可以事先籌劃對策；有仁義之心，可以託付財物。說的就是邳成子。」（《呂氏春秋・恃君覽》）

暗示這麼明白

龐仲達到漢陽任太守時，有一個名士叫任棠，這個人品性高潔，在當地隱居授課。龐仲達為表示尊敬，一到任特別先去他家拜訪。

龐仲達到訪後，任棠卻不與龐仲達交談，只是拔來一大株薤[2]，端一盆水放在門口屏風前，自己則抱著孫子，蹲坐在門下。

龐仲達的部屬不滿地說：「這人未免也太過於倨傲。」

龐仲達說：「他這麼做，是想暗示我這個太守，水的用意，是要我清廉；拔一大株薤來的用意，是要我打擊土豪大族；抱著孫兒蹲坐門下，是要我敞開大門照顧弱勢。我已經知道了。」

龐仲達回去之後，果然居官清廉，抑制豪強，救濟貧弱，成為一位博得民心的好官。（《智囊全集・明智》）

---

[2] 薤：音ㄒㄧㄝˋ，植物名。百合科，多年生草本植物。葉細長似韭，中空，自地下鱗莖叢生。花紫色，傘形花序。鱗莖及嫩葉可食。

齊格飛老師教你一招

　　邴成子與龐仲達都能觀察入微，體察對方真正想要表達的意思。有些事情可能無法明講，所以在言行舉止當中，透過暗示或是不經意流露出來，則必須要加以注意，推敲背後的意思。邴成子就是這樣預先做準備，沒有跟著陷入動亂中，保全自己，也能照顧朋友的妻兒。龐仲達理解了各種寓意，並接納寓意中的建言，終成為一位興利除弊的好官。

子曰：「舉一隅不以三隅反，則不復也。」

——《論語・述而》

　　舉一個例子，卻不能類推而理解其他類似的道理，這樣就不再教導他同樣的東西了。孔子要強調的是，理解、聯想與推理能力的重要性。

問題：遇到不合理的事情，是不是應該先想一想，對方可能有
　　　什麼隱情，不好意思或不方便說，你能好好察覺嗎？

❼ 有時不接受好意，更好

《列子》、《史記》

不吃也罷

列子家裡很窮困，每天吃不飽，面有饑色。有人去告訴鄭國宰相說：「列子是一個偉大的思想家，在我國卻生活這麼困頓，難道是您不喜歡讀書人，所以沒有善待他嗎？」

宰相為此派人送數十斗的粟米給列子，沒想到列子對使者一再推辭，最終沒有接受。

使者走後，列子進入屋裡，妻子見到他推辭宰相致贈的糧食，很不以為然，不甘心地說：「聽說凡是偉大的思想家，妻子的生活都可以過得很好，偏偏你的妻子天天吃不飽，面黃肌瘦。好不容易宰相派人送你食物，你卻不接受，我的命實在太苦了！」

列子笑了笑，對妻子說：「宰相不是因為自己了解我，而是因為別人的話才送我粟米。如果會因別人的話而送我粟米，也一定會因別人的話而加罪於我，這不是很危險嗎？我不接受的原因便在於此。」

後來果然有人作亂，宰相因此被殺死，而列子並沒有受到牽連。（《列子‧說符》）

【漫畫經典】

走還是不走？

　　商鞅年輕時便才華洋溢，當時他在魏國宰相門下作客，宰相知道他的賢能，可是還來不及推薦他當官，即身染重病。魏王來探望，宰相說：「我的門客當中，商鞅雖然年輕，但富有奇才，大王可以將國事全託付給他，一切政務由他來規劃。」

　　魏王沒有答應，宰相眼見魏王沒有意願，接著又說：「如果您不重用他，就一定要殺了他，不要讓他離開我國，免得他去為敵人效命。」魏王隨口答應了。

宰相請商鞅來，向他謝罪說：「今天大王問我，誰可以接替我當宰相，我推薦你，但大王不答應。我的職責必須先為大王謀劃，然後才告訴你實情；我說大王如果不用你，必須殺了你，大王已經答應了。所以你趕快離開吧，免得被殺。」

商鞅聽了搖搖頭，說：「大王不聽你的話重用我，又怎麼會聽你的話而殺我呢？」終於沒有立刻離去，當然如他所料也沒有被魏王殺害。

後來商鞅到秦國去，為秦孝公變法，改革國政，使秦國大大富強起來，卻因而得罪了太子和貴族們，秦孝公一死，商鞅沒有即時離開，落得被五馬分屍的下場。（《史記・商君列傳》）

裝瘋算了

明朝時，寧王朱宸濠非常欣賞、喜愛唐伯虎，特地派人拿一百兩金子到蘇州聘請他。唐伯虎來後，寧王安排豪宅別墅給他住，十分厚待他。

住了半年，唐伯虎發覺寧王許多不法的事，推測他以後一定會造反，就假裝發狂，整天裝瘋賣傻。寧王派人送禮物來給他，只見他把衣服脫光光，傲慢地蹲在地上，亂抓身體，指手畫腳用奇怪的話罵使者。

使者回報寧王所見的事，寧王說：「原本聽說唐伯虎才高八斗[1]，結果只是一個瘋狂的人罷了！」於是讓他回家去。

---

[1] 才高八斗：比喻才學極高。

不久之後，寧王果然公開叛亂。所幸唐伯虎有先見之明，沒有被牽扯進去。（《智囊全集·明智》）

【漫畫經典】

齊格飛老師教你一招

　　如果列子接受宰相的餽贈，沒有跟著殉難，在當時是屬於不義的行為；但跟著殉難，卻又死得太不值得，他能看出宰相的性格，不因食物餽贈而和宰相綁一起，所以能免除災禍。商鞅也是因為一席話了解魏王的個性，判斷自己不會有殺身之禍，可是他

到秦國後，卻不能因了解自己的性格，而免於被五馬分屍，實屬可惜。唐伯虎看出寧王叛亂的端倪，演了一場發狂的戲，使寧王主動放棄他，一來免於被寧王殺害，二來又免於被叛亂牽連，實在是令人佩服。我們應當培養見識與才能，洞悉別人心理，了解自己的個性與侷限性，並積極改善自己的處境。

「知人者智，自知者明。」 ——《老子》

　　能夠看清他人、了解他人，叫作聰慧；能夠認清自己、了解自己，才是明察透澈。了解自己通常比了解別人更難，我們經常看見別人的缺點，卻看不見自己的缺點，甚至放大了自己的優點而不自知；所以有自知之明，顯然是人生最重要的事。

問題：莫名的好意背後，會不會有不好的後果？我們應該多小
　　　心一點，不貪求不屬於自己的東西，不貪小便宜，你做
　　　得到嗎？

❽再娶老婆看看啊

《史記》

「嗚嗚嗚……」又一對傷心的父母眼睜睜看著女兒被帶走，這是鄴縣每年上演的可怕景象。

這年不知情的西門豹上任鄴縣縣長，為了解民情召見當地長者，他問：「地方上有沒有什麼問題？」

長老們回答：「我們這裡最頭痛的問題，就是河神娶親。」

「什麼是河神娶親？」西門豹不解地問。

長老說：「在我們地方上流傳：『如果不為河神娶親，河水就會氾濫成災。』所以三個管教化的長官（三老）和縣府裡的行政官，每年都向人民收取幾百萬錢，用二、三十萬錢為河神娶親，剩下的錢再和巫婆一起分掉。臨到河神娶親時，巫婆會到每戶人家裡去查看，只要看到美女，就說她應該當河神的老婆，然後命令她沐浴，更換新衣。接著，在河邊搭建起祭祀的台子，在上面佈置紅色的帳棚和大床，把美女安置在裡面。選好日子後，就將美女連著床一起推落河中，大床在河上漂流不遠便沉沒了。因此長期下來，很多人家都帶著女兒逃到別的地方去，我們城裡也就越來越空。」

西門豹想了一下說：「到河神娶親的日子，你們來告訴我，我也要去送親。」

到了河神娶親的日子，西門豹到河邊去，三老、縣衙官吏、地方父老都到了，當地圍觀的有幾千人這麼多。主持典禮的是個老巫

婆，她有女弟子十個人，跟隨在她身後。

西門豹說：「請河神的新娘子過來，我要見見。」

他看看可憐的新娘子，然後回頭對三老、巫婆及長老們說：「這個女子不夠漂亮呀，麻煩大巫婆去河裡報告河神，我們要幫河神找更漂亮的女子，後天再送過來。」

「來人呀，將大巫婆投入河裡，讓她去向河神報告。」士卒二話不說抱起巫婆丟入河中。

等了一會兒，西門豹問：「老巫婆為什麼去了這麼久，還不回來，派個弟子去催她一下。」於是投下一個弟子入河。

又過了不久，西門豹說：「怎麼這個弟子也去這麼久？」

西門豹又下令再派一名弟子去催促，接連又投了兩個弟子下河。

當然還是等不到回音，西門豹又開口：「我們投入河的都是女子，事情可能說不清楚。這樣吧，麻煩三老去說明一下好了。」

「噗通！噗通！噗通！」又把三老丟下河去。

然後，西門豹假裝恭恭敬敬的站在河邊等候。過了好一陣子，旁邊圍觀的人們也愈來愈害怕不安。

西門豹回頭看著大家，說：「怎麼辦？巫婆、弟子和三老都沒有回來回報，不如我們再派行政官和大員外去催促吧。」

這時只見這兩人臉色慘白，立刻跪下磕頭，磕得頭破血流。

西門豹點點頭，說：「好吧好吧，那我們就再等一會兒。」

不久，西門豹才故意說：「你們站起來吧，看來河神不娶親了。」

事情如此演變，鄴縣的官民都感到非常害怕，從此不敢再提河

神娶親。西門豹就是用這種方法，解決了這個害人的陋習。（《史記．滑稽列傳》）

【漫畫經典】

你們去幫我問問河神，看他喜歡什麼樣的女子，我才好給他選老婆。

齊格飛老師教你一招

　　為避免淹水，替河神娶親是為時已久的地方陋習，已經深植無知百姓的心中，而且有地方長官、巫師等勾結為惡，要解決這個問題並不容易。如果直接駁斥這件事，人民一定不相信，所以西門豹親自去參與娶親，順著傳說，裝出一副恭敬的模樣，當作

真有河神，將相關的首腦投入河中去和河神溝通，才使眾人認清根本不是什麼河神作祟，所有一切都是騙人的。在怕死的情況下，沒有人敢再運作河神娶親的騙局，才終於永久消除這個弊病。這樣順勢演出，嚴懲首惡，才一勞永逸。

智慧小學堂

「觀眾器者爲良匠，觀眾病者爲良醫。」

　　　　　　　　　　　　——《法度總論》宋・葉適

　　觀察過多種器物的人，了解其中優劣，才能成爲好工匠；看過很多病人，深入研究病因病理，才能成爲好醫生。

問題：你覺得西門豹的作法好不好？你會有其他的作法嗎？

❾ 不戰而屈人之兵

《智囊全集》

宋太祖趙匡胤即位之後，請教宰相趙普說：「從唐朝末年以來的數十年間，天下戰亂不止，改朝換代已經十多次，最主要原因是什麼？」

趙普略想一想，回答：「這是由於各個地區的藩鎮[1]武力太強，而中央太弱的緣故，現在應該削弱他們的勢力，限制他們的糧食、財力，收回他們的精銳軍力，那麼天下就會太平了。」

話還沒說完，太祖就說：「不用再說下去，我已經明白了。」

不久之後，太祖召集曾經擁立他的石守信等大將軍喝酒，大家喝到盡興之時，太祖叫其他侍奉的人退下，對這些大將軍說：「當初如果沒有你們的幫忙，我也沒有辦法當上皇帝，你們對我的恩惠實在很大，我非常感激。但是當皇帝也著實不是容易的事，還不如當節度使[2]快樂。像我現在就時時都不能安心，晚上睡不著覺。」

石守信等人覺得奇怪，問：「陛下，爲什麼？」

太祖說：「這還不簡單，因爲每個人都想當皇帝。」

石守信等人聽他這樣說，感到非常惶恐，立刻跪地叩頭：「陛下，您怎麼這樣說？」

太祖說：「雖然你們沒有這個意思，可是如果你們的部下想要

1　藩鎮：唐代在邊陲各地設置節度使，鎮守土地，抵禦外侮，稱為「藩鎮」。
2　節度使：職官名。唐代所設，掌管一道或數州的軍民要政，當時事權甚重。

榮華富貴，哪一天拿皇帝的黃袍，強加覆蓋在你們身上，你們想不當皇帝也不可行啊！」

石守信等人叩頭不已，哭著說：「我們雖然都很愚笨，但是從來沒想過這種事，希望陛下可憐可憐我們，給我們一條生路吧。」

太祖頓了一頓，很感慨地說：「人生如白駒過隙[3]，追求富貴不過是多一點金錢，多一些享樂，讓子孫不會貧困而已。你們為何不放下兵權，去購買良田豪宅，為子孫留下財產，再多安排宴會，唱歌跳舞，每天安心喝酒作樂，一直到老。如此一來，我們君臣之間也不會產生猜忌，不是很好嗎？」

石守信等人聽了這一番話，一再拜謝說：「陛下，您這樣顧念我們，真是恩同再造[4]。」

第二天，這些大將軍紛紛宣稱自己生病，請求朝廷解除兵權。（《智囊全集‧上智》）

---

[3] 白駒過隙：白駒，駿馬。隙，洞孔。白駒過隙指馬從洞孔前一下子就跑過去。語出《莊子‧知北遊》：「人生天地之間，若白駒之過隙，忽然而已。」後比喻時間過得很快。

[4] 恩同再造：恩情如同給予重生般的深重。

齊格飛老師教你一招

　　宋太祖在宴會喝酒中，用這一番話，使大將軍們自動解除兵權，這就是歷史上有名的「杯酒釋兵權」的故事。宋太祖用自己的擔憂，引起大將軍們心生害怕，再告訴他們退休享福才是保全身家之道，既有軟威脅，又有硬道理。從唐朝安史之亂後，兩百年以來所累積的弊端，在喝酒談話之間就革除了，比起兵戎相見，這真是很高明巧妙的手段，不是嗎？

「上兵伐謀，其次伐交，其次伐兵，其下攻城。」

——《孫子兵法》

　　最好的戰法是用謀略解決，其次是外交戰，再其次是派兵打仗，最下策是出兵進攻城池。最好的勝利，是不用開戰就使人屈服（不戰而屈人之兵）。

問題：你認為宋太祖的方法好不好？你有沒有想過，用最經濟的方式，為對方留下退路或餘地，然後達成目標呢？

❿ 找出要害，快速下重手

《智囊全集》

　　宗澤剛當上開封府尹（首都市長）的時候，正逢開封的物價暴漲，商品的價錢幾乎上漲十倍，老百姓叫苦連天。

　　面對這種危機，宗澤卻很有自信的說：「要平抑[1]物價並非難事，先從人民日常飲食著手，等民生用品價格平穩後，其他東西的物價還怕不回穩嗎？」

　　他暗中派人去買回來食品，發現份量和以前一樣，價格卻差很多。於是召來府中的廚師，要他製作市場上常見的糕餅；另外也算出一斛酒的釀造成本，結果發現，每塊糕餅的成本是六錢，每甌酒是七十錢，但現在糕餅卻賣到二十錢，酒要二百錢。

　　宗澤找來了市場上製餅販賣的人，質問他說：「三十年前我中舉人時，京城每塊糕餅賣七錢，現在卻漲到二十錢。這是什麼原因？難道是稻子麥子漲了好幾倍嗎？」

　　糕餅師回答：「自從京城遭逢戰火後，稻米、麥子漲漲跌跌，並不一定，但糕餅價一直上漲，居高不下，我也不能獨自降價，擾亂市場。」

　　宗澤拿出府中廚師做的糕餅，對他說：「這塊糕餅和你賣的重量一樣，但我計算製作成本和工資後，每塊糕餅的成本是六錢，如

1　平抑：抑止使之平衡。

果賣八錢，那麼就有二錢的利潤，所以從今天開始，每塊糕餅只能賣八錢，敢擅自加價的人就判死罪。」

第二天，糕餅恢復舊價，也沒有一家餅店敢不開張營業。

再過一天，宗澤問主管官酒買賣的任修武，「釀酒的糯米並沒有漲價，但酒卻漲了三倍，到底是什麼原因呢？」

任修武很惶恐，回答說：「我們開張營業，不能休市，但是自從京師遭金人入侵以來，皇室及一般民間私自釀酒的情形日益猖獗[2]，不漲價的話就無法繳納官稅，也無法支付工資、油水等費用。」

宗澤告訴他：「如果我開始取締私酒，你降價一百錢，這樣還有沒有利潤？」

任修武叩頭，答說：「如果您真的可以取締私酒，那麼民眾都會向我買酒，薄利多銷[3]，減價之後，應該還足夠支付稅款及其他開銷。」

宗澤盯著他看了許久，說：「你這顆腦袋暫時寄放在你的脖子上，趕緊帶著你的手下去貼公告，說酒價減一百錢，以後你都不必再擔心私酒猖獗的情形了。我明天就會公告：『凡是敢私自釀酒者，一經查獲，不論數量多寡，一律處斬。』」

消息一出，所有釀私酒的人都自動搗毀酒器，不敢再私釀酒了。

於是，短短幾天之內，餅與酒都恢復舊價格，其他物品的價格也隨著紛紛下跌，市場交易變得更順利，吸引更多的商人前來做生

---

[2] 猖獗：狂妄放肆。

[3] 薄利多銷：商家以低價微利的方式銷售商品，刺激顧客購買意願，藉此達到銷量增加的目的。

意，百姓都推崇宗澤為政聰明有效率。（《智囊全集・膽智》）

【漫畫經典】

齊格飛老師教你一招

　　宗澤之所以能讓京城的物價快速下跌回正常的水準，有兩個主要原因：第一，他先做了研究，實際去測量商品的成本，再依據成本訂出合理利潤的定價，這樣賣家降價還是有利可圖，便願意繼續提供商品販賣；第二，他用重罰，只要是不願意降價或是違法私釀酒的人，一律處死，這樣哄抬價格和違法的人都會害

怕，不敢亂來。宗澤一來有研究，商人騙不了他，二來嚴懲犯規的人，有遏阻的效果，所以施政才能馬上見效。

「智慧生膽，膽不能生智。剛之克也，勇之斷也，智也。」
　　　　　　　——《智囊全集·膽智》明·馮夢龍

　　有智慧才能產生勇氣，光有膽量不可能產生智慧。勇氣必須服從智慧的判斷，如果智慧判斷認為應當勇往直前，但卻裹足猶豫，這是勇氣不足，有待智慧的鍛鍊；如果是未經智慧的判斷而逞強蠻幹，則是勇氣有餘而需要以智慧來約束，所以真正剛強勇敢的人，必然是有智慧的人。

問題：先進行研究探討，找出問題的癥結，再制訂規則，給大
　　　家一起遵守，這是宗澤成功解決問題的方法，你學到了
　　　嗎？

競爭的方法

❶ 抓小老虎

《後漢書》、《東觀漢記》

　　班超年輕的時候，由於家裡貧窮，他在官府裡抄寫公文賺錢謀生。這一天，對這種生活感到非常厭倦的班超，舉起疲憊的手，將筆扔到桌上，嘆一口氣，說：「大丈夫應該效法張騫[1]那樣的英雄，在邊疆外域立功封侯，怎麼能老是在磨墨抄寫呢？」

　　旁邊的人都嘲笑他，班超卻說：「你們這些普通人，怎麼能了解大丈夫的志向！」

　　後來班超從軍，隨征匈奴，大將軍竇固很賞識班超，派他與郭恂出使西域，聯絡其他國家。班超到達西域鄯善[2]國時，鄯善國王熱忱歡迎他，但是過了不久，態度突然變得很冷淡。

　　班超召集部下說：「鄯善王突然對我們變得冷淡，一定是有匈奴使者到來的緣故，使得鄯善王拿不定主意要傾向哪一方。一個善於觀察的人，在事故還沒有發生之前，要能有所預察，現在事態這麼明顯，我豈會看不出來？」

　　班超找來鄯善的侍衛官，若無其事地問：「匈奴使者已經來好幾天了，不知道他們在哪裡歇息？」侍衛官嚇了一跳，以為班超已經都知道，就老老實實回答他的問題。

1　張騫：奉漢武帝之命，從長安出使西域，歷時十三年，兩次被匈奴俘虜，最終成功開拓了絲綢之路。因這偉大功績，受封為博望侯。

2　鄯善：古樓蘭國，今是中國新疆維吾爾自治區中東部，是吐魯番市所轄的一個縣。

班超回到住處後，立即召集三十六個部屬，他們一邊飲酒一邊商議，當大家喝到半醉時，班超突然站起來，慷慨激昂的說：「大家跟我一起來到西域，目的是為朝廷建立功勳，為自己求得富貴。如今匈奴使者才到達幾天，鄯善王對我們的態度就立刻轉變冷淡。如果鄯善王擒住我們交給匈奴，那我們的骨肉豈不是變成豺狼的食物了嗎？各位，你們覺得應該怎麼辦？」

部下們一聽，全都說：「我們已經身陷危險之地，是生是死全聽您的指揮。」

「不入虎穴，焉得虎子！」（不進到老虎的巢穴，怎麼抓得到小老虎？）班超說，「為今之計，只有在半夜放火燒了匈奴使者的帳棚，趁他們來不及反應，摸不清我們有多少人，心生恐懼時，一舉消滅他們。只要除去匈奴使者，鄯善王便會害怕，就會改變對我們的態度，那麼其他的事就容易了。」

但是卻有部下說，應該和郭恂商量後再做決定。班超聽了很生氣的說：「成功失敗，生死存亡，決定命運就在今晚。郭恂是文官，萬一他聽了這項計畫，因為害怕而洩露機密，一旦壞了大事，我們都會死無葬身之地。人死而不能留名，算什麼英雄好漢！」大家聽班超這麼一說，紛紛表示贊同。

午夜時刻，班超率領所有部下，眾人既緊張又亢奮，偷偷摸進匈奴使者的營地。這時，正巧刮起大風，班超派十個人手持戰鼓躲在營帳後面，約定見到火光就擊鼓大聲叫喊，其餘的人則拿著弓箭，埋伏在營帳大門兩側。部署完畢，班超順著風勢放火，部下們擊鼓叫喊。

匈奴使者聽到鼓聲，見到熊熊火光，莫不驚慌失措，情急之下紛紛往門外逃，埋伏在門外的班超親手殺死三人，他的部下射殺三十多人，其餘一百多人則全被大火燒死。

天亮後，班超告訴郭恂夜襲匈奴使者的事，起先郭恂大爲驚訝，後來又顯得失望，班超看出郭恂的心意，於是對他說：「你雖然沒有參加昨晚的戰鬥，但我怎麼會獨自居功？向皇上報功時一定會提上你一筆。」郭恂才露出喜色。

班超求見鄯善王，將匈奴使者的頭顱拿出給他看，國王和大臣們十分震驚。這時班超安撫鄯善王，開導他與漢朝建立穩固邦誼，並讓王子入朝爲人質，修好兩國關係。

竇固將軍非常高興，上報班超的功績，並請朝廷另派使者前往西域。皇帝對班超的膽識非常讚許，回覆竇固說：「像班超這樣的人才，應當正式任命爲西域使臣，不需另選他人。」於是任命班超爲軍司馬，獎勵他在鄯善國立的奇功。

班超出使前，竇固想爲他增加兵力，班超卻說：「我只需要帶著原本的三十多個部下就夠了，因爲萬一發生事情，人多反而麻煩。」（《後漢書・班梁列傳》）

班超來到于闐國時，不料于闐王對他們態度很冷淡。由於于闐國篤信巫術，巫師對國王說：「天神因爲我們聽信漢朝使者班超，正在生氣，班超有匹烏嘴馬，您只要下令，讓漢使獻馬祭神，天神就不生氣了。」于闐王立刻派人要求班超獻馬。

班超回答：「可以，但要請巫師親自來取馬。」當巫師到來

時，班超一刀將巫師的頭砍下，送回給于闐王。

　　于闐王早就聽說班超在鄯善國的事蹟，如今又親眼見識班超的手段，內心非常害怕，於是向班超請降。班超為了安撫國王，送給他許多禮物。

　　此後，班超安定西域五十餘國，被封為定遠侯。（《東觀漢記》）

【漫畫經典】

　　班超懷有大志向，不願做一個抄寫的小官吏，大丈夫志在四方，後來他出使西域，立下大功，這就是他「投筆從戎」的故事。人貴在知道自己的抱負，更要有勇氣去從事自己喜歡、有熱情的事務。班超又以「不入虎穴，焉得虎子」激勵大家，定下勇略，奇襲匈奴使者，藉以威震鄯善國王，讓他們不敢小看漢朝使者。這不僅是有勇氣，而是有勇有謀，如不這樣做，只能坐以待斃，所以他甘冒一定的風險，並且當機立斷，立刻執行偷襲奇計，果然達成目標。

智慧小學堂

班超：「不入虎穴，焉得虎子！」　　　　——《東觀漢記》

　　如果不冒險進入老虎的洞穴，怎麼能捉到洞中的小老虎呢？意即不深入險境，就不可能獲取勝利成功。為了達成目的，必須要有冒險犯難的精神，也必須對面臨的困難，有所計畫與準備。

問題：當想要完成自己的目標或理想時，你敢不敢面對挑戰，
　　　有沒有勇氣改變目前的生活環境呢？

❷一封信讓人投降

《戰國策》

　　大家可能不知道，大詩人李白的偶像不是其他的大文豪，而是專門排難解紛的一位戰國奇人。戰國時期戰亂頻仍，烽火四起，當時有一位齊國人魯仲連以善辯和謀略出名，李白的詩說：「齊有倜儻[1]生，魯連特高妙。」就是讚美魯仲連不僅風度翩翩而且智略過人，並且自許成爲像他一樣的政治家，那麼魯仲連到底有什麼事蹟讓李白如此推崇呢？

　　魯仲連這個人氣節高，口才也非常好，他幫助過齊國的大將軍田單收復國土。當時燕國的將軍樂毅率領五國聯軍進攻齊國，很快地攻下齊國七十多座城池，半年內齊國廣大的領土都淪陷了，只剩下莒和即墨兩城苦苦支撐。五年之後，即墨城的守將田單率領城內的軍民頑強抵抗，最後以「火牛陣」大敗燕軍，並且乘勢反攻，收復了大部分的城池，但是到了狄邑這個地方卻無論如何也攻打不下來。

　　在攻打狄邑之前，魯仲連就曾經斷言田單沒有辦法攻下狄邑，果然經過三月都沒有任何進展。田單既苦惱又不解，無奈之餘只好去請教魯仲連。

　　魯仲連告訴他：「你以前之所以成功抗燕，是因爲抱著必死的決心，和士兵們上下一心，同仇敵愾。但是現在你的地位高了，享受更多了，已經不再有必死的決心，也不再身先士卒了，所以這個

---

[1]　倜儻：音ㄊㄧˋ ㄊㄤˇ，卓越豪邁，灑脫不受約束的樣子。

小小的城就成了你的『攔路虎[2]』。」田單聽了之後恍然大悟，立刻回到戰場上親自披掛上陣，果然攻克了狄邑。

不過由於燕國的大將軍負隅頑抗，田單後來的進攻很不順利。正在一籌莫展的時候，智慧過人的魯仲連又來了。

這一次，魯仲連寫了一封信，綁在箭上射進城裡給燕國的守將，信中說：「有智慧的人不會去做違背時勢、有損利益的事，真正的勇者不會做出怕死而毀滅名譽的事，國家的忠臣總是處處先為君王著想。」

然後分析當時的國際戰爭局勢，又站在燕國將軍的立場，指出回歸燕國或投降齊國的不同好處；最後又用各種歷史上的例子勸誘燕將應該放棄聊城。結果，魯仲連的這一番說辭深深撼動了燕國守將，這將軍於是說：「與其城破被殺，不如自殺吧。」結果田單不戰而勝。

後來田單想封賞魯仲連，魯仲連跑去躲起來，不願接受，他說：「要屈身事人而富貴，還不如貧賤卻自由自在，隨意行事。」

魯仲連用文字攻下了聊城，一封箭書退敵雄兵，創造了軍事史和論辯史上的一頁奇蹟。從魯仲連幫助田單攻下狄邑、收復聊城的精彩故事中可以看出，魯仲連不僅擁有過人的智慧以及非凡的語言能力，更是一個愛國、熱心助人的及時雨[3]。（《戰國策·齊策六》）

2　攔路虎：這裡比喻阻礙前進的人或事物。舉例：「數學一直是我升學途中的攔路虎。」
3　及時雨：比喻能救人急難的人。

有智慧的人不會違背時勢，真正的勇者也不懼於以死明志。

齊格飛老師教你一招

　　從故事中，我們可以學習到面對問題時，洞悉問題的本質是首要關鍵，魯仲連就是看出了田單的心態改變，從奮不顧身變成安於逸樂，所以才沒有辦法取勝；而對於燕國將軍，魯仲連也是抓住了他的心理，設身處地的為他分析各種發展如繼續守城、投降或是退兵的優點和缺點，迫使他做下不再堅守的決定，因此才解決了田單的困境。

　　在面對衝突或是進行談判時，甚至是想要幫助別人的時候，

如果能站在對方的立場，為對方著想，為對方找出問題，仔細打算各種好處與壞處，要達成目的自然就會變得比較容易了。

魯仲連：「規小節者不能成榮名，惡小恥者不能立大功。」
——《史記·魯仲連鄒陽列傳》

只注重小節操的人，無法成就榮譽名聲；只在意憎恨小恥辱的人，無法立下大功。成大事者不拘小節，像是劉邦、曹操等大人物能容各種的人才，所以許多有才能的人為他們效命；忍一時之氣，才能做有用之事，像是韓信忍胯下之辱，不做無謂爭鬥，終成就功業。

問題：比賽時，面對強大的競爭對手，各種職業球隊都會先蒐集對手的資料，進行分析，了解對方的優缺點，再針對優缺點擬訂比賽計畫，你會不會這樣做呢？

❸敵人，你先退一下嘛！

《資治通鑒》

「我的百萬大軍只要把馬鞭拋進河裡，就能阻斷河流，難道還滅不了晉？」前秦皇帝苻堅大發豪語，由於他重用漢人謀士，勵精圖治，發展強大軍事實力，意圖消滅東晉，這時發動八十多萬兵力前來侵犯邊境。

東晉全國震驚恐慌，朝廷派謝石為大將軍，謝玄為前鋒將軍，準備迎敵。謝玄來向宰相謝安問計，謝安神色一如平常，回答說：「朝廷都已經安排好了。」然後就不說話了。

謝玄不敢再問，謝安則驅馬車到山林別墅去，與親朋好友下棋、休憩，但除了他自己之外，每個人都很憂心：缺乏訓練的兵力不到十萬，將領又這麼年輕沒經驗，東晉的命運簡直危如累卵[1]。

前秦先鋒部隊來到東晉國境，截斷了淮河交通，情勢十分危急。謝玄這時派出五千騎兵偷襲敵軍，結果大獲全勝，大大提振晉軍士氣。

兩軍各自集結推進後，隔著淝水於兩岸對陣。苻堅得知先遣部隊打了敗仗，趕到前線來督戰，他見到對岸營帳林立，旌旗簇擁，還隱隱聽到陣陣鼓聲從對岸傳來，望向遠方山上的草木，以為都是晉兵，苻堅心中一驚，轉身對部下說：「晉軍還有這麼多人馬，明

---

[1] 危如累卵：比喻情況非常危險，像堆累的蛋，隨時有跌破的可能。

明是勁敵，怎麼說他們弱呢？」

經過一番探查和分析後，謝玄向大將軍謝石說：「前秦軍隊雖然人數眾多，但是士兵都是從北方各族中強行徵來，士兵並不忠心服從，而且他們的隊伍龐大，千里跋涉而來，人疲馬乏，我們應該爭取時機速戰速決。」

於是他們派使者向前秦軍說：「你們孤軍深入，卻與我們在淝水兩岸對陣，這不是長久之計。不如你們稍微後退，留出空地，讓晉兵渡過淝水，兩軍來一決勝負，這不是很好嗎！」

使者走後，前秦的將領都說：「我們人多他們人少，不如阻擋他們，使他們不能渡河，我們可以立於不敗之地。」

符堅卻說：「我們只要後退一點，等他們渡河到一半，我們用騎兵進攻，一定可以滅了他們！」

所以前秦宣布開始後退，沒想到這一退竟無法停下來，後面部隊聽到後退的命令，以為前方戰敗了，爭先恐後逃跑，前秦軍隊登時亂了陣腳。晉軍見機不可失，迅速搶渡淝水，衝殺過來。東晉安排在前秦後方的部隊趁機大喊：「符堅敗了，符堅敗了！」前秦士兵一聽，更是大亂。一時之間，幾十萬部隊自相踐踏，符堅自己也中箭負傷。

晉軍乘勢追殺，符堅慌忙帶著部隊逃跑。逃跑的士兵疲憊不堪，一想休息，聽到風吹的聲音和鶴的叫聲，以為是晉兵追來，晝夜都不敢停下，沿途又餓又累，死傷眾多。

宰相謝安收到大勝的捷報[2]，當時正與客人下棋，他將報告收起放在坐榻上，臉上沒有一點喜悅的神情，仍舊從容下棋。客人問：「前方戰事如何？」他好整以暇[3]的說：「嗯，孩子們[4]已經打敗前秦。」下完棋，他走過門檻時，卻難掩內心的喜悅，竟不自覺踏壞了腳穿的木屐。

　　符堅敗回後兩年，前秦就潰亡了。（《資治通鑒》）

【漫畫經典】

2　捷報：戰勝的消息。也泛指好消息。

3　好整以暇：原指軍隊步伐嚴整，從容不迫。後多以形容在紛亂、繁忙中顯得從容不迫。

4　謝石是謝安的弟弟，謝玄則是侄兒。

　　此一淝水之戰，晉軍創下以少勝多的軍事奇蹟，還留下「投鞭斷流」、「草木皆兵」、「風聲鶴唳」等成語。東晉之所以能夠險中求勝，在於謝玄等大將深入分析敵方情勢，知道他們雖然人數眾多，但是臨時湊成的雜牌軍，向心力不足，命令無法貫徹。再藉由騙取前秦後退之際，陣腳大亂，前鋒衝鋒，後方大喊「符堅敗了」，因此大亂前秦軍心，造成一退而崩潰。謝安表面裝作鎮定，其實也有穩定軍心的效果；這是面對強敵時，抱持平靜不慌亂，再加以分析敵我優劣，甚至不怕要求對方，讓對方驕傲鬆懈，再趁虛而入。

智慧小學堂

「凡百事之成也，必在敬之；其敗也，必在慢之。」

——《荀子・議兵》

　　各種取得成功的人，一定是對事情非常仔細認真；而遭致失敗的人，一定是因為傲慢怠忽。所以不管做什麼事，讀書也好，工作也好，都一定要全力以赴。

問題：你會不會有時太過驕傲，以致於看不到自己的缺點？如果會，你看到這個故事中的符堅，有沒有一點警惕和反省呢？

❹ 大家一起投降吧！

《資治通鑑》

　　營地中來了一個賣面具的小販，鬼鬼祟祟的樣子引起巡邏士兵的懷疑，抓住一查問，果然是敵人派來的間諜。唐朝時，高仁厚將軍受命去討伐叛變的阡能，發兵的前一天，居然發生這種事。

　　高仁厚提審這個小販，命人將他鬆綁，臉色和悅地問他：「你為什麼會當阡能的間諜？」

　　小販說：「我本來是個安分守己[1]的小鄉民，阡能囚禁了我的父母妻小，威脅我當間諜；如果我探得有利的情報，就釋放我的家人，否則殺我全家。我是被逼的，請大人開恩。」

　　高仁厚點點頭，說：「好，我了解你的苦衷了。你放心，我不殺你，現在我放你回去，讓你能拯救家人。你回去對阡能說：『高將軍不久將會發兵，但士兵人數不多，只有五百人。』

　　不過，我放了你，讓你救全家性命，你必須報答我。你回去之後，暗中對營寨裡的士兵說：『高將軍知道我們都是善良的百姓，只是被阡能脅迫，逼不得已來當兵。現在高將軍想解救我們，等將軍發兵征討阡能時，我們只要投降，將軍會派人在我們的背上寫上『歸順』二字，送我們回故鄉。將軍只想討伐阡能，並不想殃及我們這些無辜百姓。』這樣你知道了嗎？」

---

[1]　安分守己：安守本分，堅持原則。

小販很感激，回答說：「回故鄉是我們大家的心願，如果將軍您能諒解我們的苦衷，不追究我們的罪過，我們怎麼會不聽從您的吩咐呢？只要您的大軍一到，我們一定會像孩子見到母親一般，投奔到您身邊。」高仁厚於是放他回去。

　　高仁厚行軍到前線，看到地方官軍的軍營四周圍起重重柵欄，忍不住高聲罵當地指揮官：「阡能不過是個沒用的莽夫，手下的士兵也多半是農人，你一年多來卻無法擒下阡能。看你營地重重的柵欄，難道你認為這樣就能睡得著、吃得下嗎？」高仁厚命人拆去所有柵欄，留下五百士兵守衛，其餘士兵都編入自己部隊，又召集其他官軍部隊，一同出發征討阡能。

　　阡能探得高仁厚發兵前來，就派人前去設立五個軍寨，另外在要道上埋伏一千人準備偷襲。

　　高仁厚得知阡能的計謀，指派數人偷偷混入敵營，吩咐他們暗中散佈那天對間諜所說的那番話。敵方的士兵聽說可以回家，十分高興，紛紛放下武器投奔高仁厚。高仁厚親切的慰問這些投降的人，命人在他們背上寫上「歸順」二字，讓他們再去招降別的士兵。因此，敵方士兵都跑光了，官軍順利拿下他們的軍寨。

　　第二天早上，高仁厚又對投降的士兵說：「我本來想立刻送你們返鄉，但是其他的叛兵並不了解我的心意，所以我想請各位幫忙，你們到前方叛軍的營寨前，露出背上『歸順』的字讓他們看，等到達北邊的關口，各位就可以回家了。」

　　這些降兵以五十人編為一隊，讓他們到敵方軍營前大聲喊：「官軍已經攻破前方軍寨，不久就會攻入這裡，你們還不像我們一

樣，趕快投降！只要投降就可恢復平民身份，平安無事回家。」

敵方軍寨中的士兵爭相投降，叛軍首領拔劍想阻止眾人，反被眾人用石塊丟擲，並合力擒下他送交高仁厚，其餘的賊兵也全部投降。

高仁厚說：「新降的士兵還沒有吃東西，先將糧食運出後再焚毀賊寨。」見到高仁厚這麼仁慈的對待，新降的士兵自願做飯，與前來招降的人同桌共食，歌聲笑語處處可聞，徹夜不絕。高仁厚讓先前投降的士兵先行返鄉，再以新的降兵為前導，對他們說：「等到了下一個賊營，你們也就可以回家了。」

下一個賊營中的士兵，夜晚看見高仁厚軍隊的營火時，就興奮得整夜睡不著，準備要投降了，守寨的首領只好逃跑去投奔阡能。

阡能想盡全部兵力與高仁厚決一死戰，尚未謀劃好，高仁厚已經帶著降兵來到阡能軍營前，軍容強盛，同時降兵們不斷搖旗吶喊，高叫：「歸順，投降！」

阡能慌忙中騎上馬巡視，下令士兵出擊，可是士兵全不聽他的指揮。第二天，官軍進入阡能軍營，已經被五花大綁的阡能，由自願投降的士兵們押出來，獻到高仁厚馬前，頓時間，士兵們的歡呼聲如爆炸般轟然而出，響動雲霄。

高仁厚只花了六天時間，就完全收服賊兵，殲滅叛亂的首領。（《資治通鑑・唐紀》）

齊格飛老師教你一招

　　高仁厚果然不負「仁厚」的名字，運用策反的方法，讓原本是農民的叛兵自願投降，並且願意去招降其他的叛兵；這都是由於高仁厚能夠理解他們的苦衷，知道他們是被迫當兵，所以只要被赦免罪過，回故鄉過原本的生活，他們一定會願意投降。也因此不費一兵一卒，沒有引發殺戮，而讓叛軍崩潰。理解對方，善用對方的心理來幫助自己完成目標，這是高仁厚所以成功的原因。

智慧小學堂

「因其勢而利導之」　　　　　──《史記‧孫子吳起列傳》

　　了解事物的背後成因，洞悉發展的趨勢，然後順著發展趨勢加以引導推動，便能獲得最好的效果。成語「因勢利導」的由來。

問題：你能像高仁厚一樣，體貼對方的苦衷，然後讓對方來幫助你達成目標嗎？

❺ 一鼓作氣

《左傳》

　　這一年春天，冰雪融盡，鶯飛草長之際，齊國派軍攻打魯國，魯莊公準備遣兵派將迎戰。曹劌[1]聽到這個消息，想去求見莊公。他的鄰人說：「國君自會謀劃戰事，你又何必要多管閒事？」

　　曹劌說：「國君和朝臣們的見識淺陋，不能深謀遠慮，需要我的意見。」於是入宮去晉見莊公。

　　曹劌問莊公：「您憑什麼跟齊國打仗？」

　　莊公說：「衣服食物這類必用品，我不敢獨自享受，都會分享給別人。」

　　曹劌說：「這只是小恩小惠，而且無法遍及百姓，國民是不會聽從您的指揮。」

　　「祭祀用的牛、羊肉，器具和織品，我從來不敢誇大，一定誠信照實祭告。」莊公說。

　　「這是小信用，無法真正被信服，神不會因此保佑您。」曹劌回答。

　　「人民不論大小的案件，即使不能一一查明，也一定符合情理來審理。」莊公又說。

　　「這是盡忠職守，您可以憑藉這一點去打仗。」曹劌終於肯定莊公的作為，並說：「請讓我隨您出征。」

1　劌：音ㄍㄨㄟˋ，傷、割。這裡是人名。

到戰場上，魯莊公和曹劌同坐一輛馬車，在長勺和齊軍會戰，但見齊軍軍容盛大，刀劍如林，殺氣騰騰。

　　齊國主帥下令進軍，剎那間，鼓聲動地，殺聲四起。魯莊公正準備下令擂鼓迎戰，曹劌卻攔住說：「還不行，時機未到。」

　　齊軍見到魯軍沒有反應，便平靜下來。過了不久，齊軍又戰鼓大作，可是曹劌還是阻止莊公出戰，等到齊軍第三次擊鼓，曹劌才說：「可以出擊了。」

　　這時魯國將士一聽到戰鼓擂響，激起了鬥志，如同猛虎下山一般，吶喊著衝殺過去。結果齊軍大敗，莊公要下令追擊，曹劌又阻止：「還不可以追。」

　　說著，曹劌從車上下來，查看齊國軍隊車輪的痕跡，然後登上車馬，扶著馬車前的橫木眺望齊國軍隊，然後說：「現在可以追擊了。」莊公才下令追擊齊軍。

　　大勝之後，莊公詢問曹劌：「這次戰役，我們取勝的原因是什麼？」

　　曹劌回答：「作戰靠的是士兵的勇氣。第一輪擊鼓，可以提振將士們的士氣，第二輪擊鼓，士氣就衰弱了，等到第三輪擊鼓，士氣就竭盡了。接戰時，敵方的士氣竭盡，而我方的士氣正值第一輪鼓舞，激昂的時刻，所以我們可以戰勝齊國。」

　　「那後來為什麼阻止我立刻追擊呢？」莊公又問。

　　「齊國是個大國，奸詐而又難以預料，我擔心他們佯裝敗走，前方可能有埋伏；後來我查看他們車輪的痕跡很混亂，望見他們的軍旗倒下了，表示他們很慌亂，不可能有埋伏接應，所以才請

您下令追擊。」（《左傳·莊公十年》）

【漫畫經典】

齊格飛老師教你一招

　　曹劌表現出的深謀遠慮，從一開始告訴魯莊公，人民的支持是戰爭勝負的首要條件，民心向背是國家存亡的關鍵。再來，利用敵方三次的擊鼓，導致士氣一再被激起，又因為沒有真正接戰而不斷衰弱之際，才出兵攻擊，取得勝利，顯示曹劌的軍事指揮才能。到最後，曹劌透過實地觀察，確認沒有埋伏，才讓軍隊追

擊敵方，謹慎不躁進，確保安全。曹劌種種「謀定而後動」的作法，正是值得我們學習的地方。

古典智慧學一學

「一鼓作氣，再而衰，三而竭。」　　——《左傳·莊公十年》

　　第一輪擊鼓，士氣鼓舞激昂，第二輪擊鼓，士氣就衰弱，等到第三輪擊鼓，士氣就竭盡了。因此，我們應當知道，做事情要一鼓作氣，要趁開始時精神振奮的時機去做，才容易成功。

問題：你做事情的時候，有沒有拖拖拉拉？別人要求你完成的事情或功課，你是不是都能一鼓作氣的完成呢？

❻超級挑撥王

《史記》

　　春秋時期齊國的大臣田常是一個深具野心的人，他想要發動政變，但是又擔心另外四家貴族的實力太強，冒然政變恐怕很難成功，於是就調動他們的兵力一起去攻打魯國，想要藉由戰爭削弱他們。

　　孔子是魯國人，當時正在周遊列國的他聽到這個消息，不安地對他的弟子說：「魯國是我們的祖國，祖宗墳墓所在之地，國家遇到這麼嚴重的威脅，怎麼可以不去拯救呢？」子路、子張紛紛請命，但都被孔子拒絕了，直到子貢出來，孔子才放心地答應。顯然在孔子心中，只有子貢才能達成這個超級任務。

　　子貢先到齊國，對田常說：「你要攻打魯國，不如去進攻吳國。因為魯國比較弱，一定一下子就被滅亡，這樣一來，四家貴族的勢力反而會更強盛，那時你想要政變不就更困難了嗎？但是吳國比較強盛，進攻吳國如果不能取勝，四家諸侯的兵力就會衰弱，那時你不就可以控制齊國了嗎？」田常一聽覺得很有道理，但又擔心改變策略移兵伐吳，會受到其他大臣懷疑。

　　「這好辦，你先按兵不動，我去勸吳王救魯伐齊，到時候你派齊軍迎擊就有藉口了。」子貢這麼回答，顯然，他來之前心裡早有準備，胸有成竹[1]。

---

[1]　胸有成竹：比喻處事有定見。相似詞：心中有數。

接著子貢南下來到吳國，見了吳王說：「如今齊軍要吞掉魯國，進而與吳國爭雄，我實在為吳國擔心啊！可是如果大王去救援魯國，不但可使吳國在諸侯中取得好名聲，而且打敗齊國後，還可以威脅強大的晉國，好處實在太多了。」吳王聽了子貢的話，覺得很有道理。但是吳王夫差又擔心一件事，他害怕越王勾踐會趁機攻擊他的後方，頭腦靈活的子貢卻說：「這你不必擔心，我去勸說越王，讓他把部隊派出來跟你一起伐齊，這樣，就算越王想作亂也沒兵力了，不是嗎？」吳王聽了非常高興，馬上請子貢到越國去。

越王句踐聽說子貢要來越國，親自到城外迎接子貢，他對子貢說：「我們這裡是蠻夷之國，先生為何事而紆尊降貴[2]光臨敝國呀？」

子貢說：「我勸吳王伐齊救魯，他卻擔心如果照我所說的做，越國會攻打吳國，因此他說『等我征越後再說。』(子貢故意恐嚇越王)如果這樣，吳國必定會來攻打越國了。再說，有報復之志而讓人知道是危險的！你一直心存復仇，難道吳王不知道嗎？」越王勾踐作揖向子貢表示感謝，說：「我曾不自量力與吳國作戰，被困於會稽，心情非常沉痛，其實與吳王拼個死活，是我的願望。」並請教子貢有什麼辦法。

子貢開始反過來批評吳國：「吳王暴虐，他的屬下都難以忍受，國家又因常年打仗而貧困，士兵有怨言，大臣有變心，百姓也不滿。」又建議說：「現在如果大王能發兵助長他伐齊之志，給他

2　紆尊降貴：貶抑尊貴的地位，謙卑自處。

寶物取得他的歡心，以卑微的言辭來奉承他，他無後顧之憂，必定會伐齊。如果他被齊國打敗了，是大王您的福氣；如果勝了，以夫差的個性，接著必然會發兵威脅晉國。那時我就北上去見晉國國君，說服他讓晉軍與您共同攻擊吳國。那時吳王的精兵已經全部調出作戰，剛攻打完齊國，兵力一定很疲憊，一旦部隊又被晉國困住，您就可以趁虛而入滅掉吳國了。」果然是一個大妙計，越王聽了大為欣喜，同意子貢的建議，並且送給他黃金、寶劍和長矛等禮物，但子貢沒有接受，馬上又回到吳國。

他編了一套說辭，向吳王夫差報告說：「我已鄭重地把大王的話告訴越王。越王很害怕，說多虧吳王的恩賜，才使國家可以延續，這份恩德至死不忘，哪還敢有什麼另外的圖謀呢！」吳王夫差聽了很高興，於是開始積極準備伐齊救魯。他果然中計了。

風塵僕僕的子貢又趕到了晉國，對晉國君說：「當前齊國將與吳國作戰，吳國如果戰而不勝，必然會乘機擾亂晉國邊境；如果打勝了，也必然以得勝之師威逼晉國。」晉國君聽了子貢的一番話後，十分惶恐，急著請教子貢如何是好。子貢交代說：「趕緊訓練軍隊，嚴陣以待。」晉國君當然也採納了子貢的意見。

子貢回到魯國之後，吳王夫差果然興兵伐齊，與齊軍戰於艾陵，吳國大敗齊軍。之後，吳軍以得勝之師，兵臨晉國。由於晉軍早有準備，所以吳軍受到反擊而敗兵。越王勾踐聽說吳王進攻晉國受創，立刻率兵襲吳。吳王夫差聞訊，雖然率殘兵趕回，但結果與越王勾踐三戰而落敗，最後被勾踐所殺，吳國隨之滅亡。這一切全都如同子貢的預料啊！

子貢一介儒生，竟然在列國中掀起軒然大波，使人歎爲觀止，簡直太神了！難怪司馬遷給予子貢這樣高的評價：「子貢一出，存魯，亂齊，破吳，強晉而霸越。子貢利用情勢讓各國互相攻擊，十年之中，五國各有變。」子貢縱橫捭闔[3]，唆使挑撥，策動他國戰爭，從而達到了「存魯」的目的。他在以齊攻吳、以吳救魯、以晉擋吳、以越攻吳的連環套中，向每一位君主進言時，都表現出是在爲對方著想策劃，不僅膽識過人，而且很懂得分析大勢，並掌握消息來說服別人。（《史記‧仲尼弟子列傳》）

【漫畫經典】

3　縱橫捭闔：政治或外交上慣用的拉攏、分化等靈活高明的手段。捭闔，音ㄅㄞˇㄏㄜˊ。

齊格飛老師教你一招

　　對於田常的心理，以及各國之間的矛盾，子貢其實早就瞭然於心，所以他可以很快的擬訂計畫，針對各人心中的要害，提出好的解決方案，促使他們循著自己的建議去做。

　　子貢頭腦靈活，口才很好，在孔門之中是列於言語科的高材生，不僅如此，他還是「儒商」的開創者，也就是他很會做生意，一介從商致富的儒生，後來成為和君王分庭抗禮[4]的商業鉅子。分析子貢在外交和經濟上的成功，在於他很擅長於洞悉時勢，知道如何利用大勢所趨；而且，在穿梭各國遊說的時候，他也很善於利用各國彼此的訊息落差，相互之間無法清楚即時的變化，化作為他可以隱藏或捏造訊息的機會；譬如他隱瞞吳王夫差，教唆勾踐表面屈從，但是等待時機攻滅吳國，果然就達成了目的。從子貢的身上，我們可以了解先取得訊息的重要，有了訊息，可以幫助判斷、分析時勢，同時也可以成為說服別人的利器。

　　但是處於現代資訊化社會，資訊的取得並不困難，困難的是，找出有用的資訊，除了要從眾多的資訊中找出正確的、有用的，更要比別人找得快，並且要加以分析、整理，成為真正合適的訊息，這樣才能幫助解決問題。

4　分庭抗禮：彼此的關係對等，以平等的禮節相見。比喻平起平坐，地位相當。

智慧小學堂

子貢：「無報人之志而令人疑之，拙也；有報人之志，使人知之，殆也；事未發而先聞，危也。」

—— 《史記·仲尼弟子列傳》

這是子貢警告越王勾踐的話，心懷復仇的三種危險狀態：一、沒有報仇的意思，卻被人懷疑想報仇，這是很愚蠢的；二、懷有報仇的心，而讓對方知道了，是很不利的，對方不僅會處處提防，甚至會先下手爲強；三、還沒有正式展開復仇行動，卻被對方先發現了，這就很危急了，因爲對方一定會先採取攻擊行動。

問題：你有沒有覺得子貢很厲害？你認爲他厲害的地方在哪裡？你能像他一樣，找出不同的人際關係中，彼此的問題或矛盾嗎？

❼ 不必硬來，轉個彎更好

《史記》

下駟對上駟

孫臏和龐涓原本是同學，一起學習兵法，後來龐涓到魏國當了大將軍。龐涓因為孫臏的才能勝過自己，心生嫉妒，於是設下陰謀，招孫臏來到魏國，故意陷害他入罪，使他被砍掉了兩隻腳，並在臉上刺了字，想讓他永遠不能出來見人、做事。

有一天，齊國派使者來到魏國首都，孫臏想辦法祕密見到了齊國使者，一番對話之後，齊國使者發現他是難得的人才，便偷偷用車將他載回齊國。到了齊國，大將軍田忌很賞識他，對待他如上賓。

田忌和貴族子弟們經常賽馬，下的賭注很大。孫臏觀察後有所發現，對田忌說：「你們的馬優劣都差不多，大致可以分為上、中、下三等。我有辦法讓你穩贏比賽，你儘管增加賭金。」

田忌相信他，對比賽下了千金的賭注。比賽時，孫臏對田忌說：「現在您用下等馬和他們的上等馬比（下駟對上駟），用上等馬對他們的中等馬（上駟對中駟），再讓中等馬對他們的下等馬（中駟對下駟）。」

這樣比賽後，田忌輸了一場，勝了兩場，所以贏得千金賭注。田忌益加覺得孫臏是個人才，於是推薦他給國君齊威王，威王向他請教兵法後，非常佩服，將他當老師一樣敬奉。

圍魏救趙

魏國攻打趙國，趙國形勢很危急，派人向齊國求救。齊威王想讓孫臏當主帥出援，孫臏卻婉辭說：「受過刑罰的人，不能擔任主將。」於是任命田忌爲主帥，孫臏當軍師，坐在有帳蓬的車裡，運籌帷幄[1]。

田忌想率軍直奔趙國救援，孫臏告訴他：「想解開一團亂絲，不能緊握雙拳硬拉硬扯；要解救互鬥相爭的人，不能跳進去亂打；只要扼住對方的要害，攻其不備，對方就不得不自行放手。」

「那要怎麼做呢？」田忌問。

「如今魏國攻打趙國，魏國的精銳部隊一定全部派往戰場，國內只剩下老弱殘兵。您可以率領軍隊，火速進攻魏國首都大梁，占據交通要道，攻打兵力空虛的地方，如此一來，魏國肯定會放棄攻打趙國，回兵自救。這樣，我們既可以解救趙國之圍，又可以挫敗魏國。」孫臏回答。

田忌照孫臏的話做，魏軍果然回師，結果在桂陵這個地方交戰，魏軍被打得大敗。

---

[1] 運籌帷幄：謀劃策略。

萬箭齊發

　　過了十三年後，魏國和趙國聯合攻打韓國，韓國向齊國求救。齊王派田忌率軍前去救援，進軍魏國。魏國將軍龐涓趕緊撤兵離開，要趕回魏國防守，這時齊國軍隊已經越過邊境了。

　　孫臏對田忌說：「魏國軍隊向來勇悍，瞧不起齊兵，說我們齊兵膽小怯戰。身為善於作戰的將領，可以因勢利導[2]，達成想要的目標。兵法上說：『用急行軍走百里攻擊敵人，有可能折損大將

2　因勢利導：順著事物發展的趨勢加以引導，使達成目標。

軍；用急行軍走五十里攻擊敵人，恐怕有一半士兵跟不上。』所以，我們要想辦法，讓魏國軍隊急行而失利。」

田忌問：「有什麼辦法？」

「我們進入魏國後，做飯時，先砌起十萬人吃飯的灶，然後逐漸減少，第二天只砌五萬人的灶，第三天只砌三萬人的灶。」孫臏提出這樣的計策。

果然，龐涓追著齊國軍隊三天，發現灶越來越少，高興地說：「我本來就知道齊軍膽小如鼠，進入我們國境才三天，逃跑的士兵就超過了半數啊！」於是撇下步兵，只帶著輕裝的精銳騎兵，日夜兼程追擊齊軍。

孫臏估計他們追擊的速度，當晚會到馬陵。馬陵這裡的道路狹窄，兩旁又是險峻高崖，很適合埋伏。孫臏找到一棵大樹，叫士兵削去樹皮，然後在上面寫：「龐涓死於此樹下。」命令一萬名善於射箭的士兵，埋伏道路兩旁，告訴他們說：「晚上只要看見樹下有火光亮起，就萬箭齊發。」

當晚，龐涓帶兵趕到此處時，因為天色太暗，隱約看見樹上有字，吩咐士兵舉火照明，字還沒讀完，齊軍的伏兵倏[3]地萬箭齊發，魏軍大亂，無法應對。龐涓自知敗局已成，於是拔劍自剄[4]，臨死前說：「反倒成就了孫臏這小子的名聲啊！」

齊軍乘勝追擊，將魏軍徹底擊潰，俘虜了魏國的太子。孫臏也

3　倏：音ㄕㄨㄟˋ，急速。
4　剄：音ㄨㄣˇ，用刀割頸。

因此名揚天下，他的兵法更是流傳後世，廣爲人知。（《史記·孫子吳起列傳》）

【漫畫經典】

齊格飛老師教你一招

迂迴的方法，在面臨強大的敵人，或是重大的威脅時，由於不正面衝突，反而能爭取到更佳的回擊效果。孫臏逃離魏國，到齊國去求發展；幫田忌贏得馬賽；使圍魏救趙之計；使減灶誘敵之計，都是這個道理。不去硬碰硬，而是經過仔細的推算，採用更有效的取勝策略。最後，孫臏也因此對龐涓報了仇。

「批亢擣虛[5]，形格勢禁，則自爲解耳。」

——孫臏《史記·孫子吳起列傳》

　　想解開一團亂絲，不能緊握雙拳硬拉硬扯；要解救互鬥相爭的人，不能跳進去亂打；只要扼住對方的要害，攻其不備，對方就不得不自行放手。解決問題要分辨源頭，提綱挈領，切重要點。

問題：採取迂迴的方式，不要硬碰硬，你做得到嗎？下駟對上
　　　駟的方法，你學到了嗎？

5　批亢擣虛：指打擊對方要害及防備不周的地方。

❽孔子的勇氣

《孔子家語》

　　齊國大臣很緊張，跑去告訴國君齊景公：「魯國用孔子代理宰相，恐將對我國不利。」齊景公便派了使者約魯定公舉行盟會。

　　孔子對定公說：「我聽說想和平解決國與國的爭端，必須要有武力作後盾；如果要以戰爭解決國際之間的紛爭，也要有和平解決的準備。諸侯要離開國境，一定會有重要官員隨行，請您讓掌管軍事的左右司馬隨行，以確保安全。」

　　定公說：「好，就這麼辦。」

　　到了盟會的地方，齊景公與魯定公以諸侯的禮節會面，互相揖讓[1]登壇，又互相敬酒。齊國司儀官說：「演奏四方夷狄的音樂。」這時，齊國暗地安排當地土著手執兵器，出來大聲鼓噪，意圖劫持定公。

　　正當危急之際，孔子鎮定地登上台梯，扶著定公退下壇來。下壇後，孔子對魯國的衛兵說：「你們舉起兵器！保護國君。現在我們兩國國君會面結盟，這些邊疆的東夷、戰敗的俘虜，竟敢鬧事，破壞兩國友誼，這不是對待他國諸侯的道理，想必齊君不會真心想要這麼做。還不停下來？」

　　司儀官不知怎麼辦，齊景公聽了感到慚愧，揮了揮手，讓萊人退下去。

---

[1]　揖讓：打躬作揖，互相謙讓。為古代賓主相見的禮節。

齊國的司儀再請示：「演奏宮中的音樂。」

景公答應，卻安排跳舞雜耍的藝人侏儒出來表演，想要戲弄定公。孔子立刻走上台階，還剩一個階梯來不及登上，便高聲說：「這些藝人在重要典禮侮慢諸侯，論罪當殺，請左右司馬立刻行刑。」於是斬殺了這些雜耍藝人。沒料到有如此結果，齊景公緊張懼怕起來，臉上也露出羞愧。

在正式訂盟時，齊國故意在盟約上加上一個條件：必須派出兵車三百乘隨齊國去征戰，不然要受到處罰。孔子為了爭取對等的利益，回應說：「如果不歸還先前侵占我國的土地，而要我國派軍隨你們出征，同樣也要受到處罰。」

訂約後，齊國準備辦宴會，孔子又說：「齊魯兩國的傳統制度，難道你們不知道嗎？已訂定盟約，又要另外設宴，不是太繁瑣了？而且牛、象形狀的酒器，是在宗廟與宮廷內用的，不應用在野外；宮廷的音樂，也不應在野外演奏，這些都不合於禮節。不合禮節的宴會，會使君王感到羞辱，不如不舉辦吧。」經孔子一番義正辭嚴[2]的言語，當下宴會就取消了。

齊景公回到國內，為當日的事情感到羞愧又惱怒，責怪他的臣下說：「魯國臣子用君子的道德去輔佐他們的君王，你們卻使用蠻夷的辦法來教我，使我犯下這些過失。」於是，齊國最後歸還了過去侵占的土地給魯國。孔子維護了國家的尊嚴，以及國君的安全，完成一次美妙的外交出擊。（《孔子家語·相魯》）

---

2 義正辭嚴：理由正當，措詞嚴厲。

這些藝人在重要典禮侮慢諸侯，論罪當殺。宴上的酒器、音樂也不合禮，會使君王感到羞辱，不如就不舉辦吧。

齊格飛老師教你一招

　　在與齊君會面前，孔子一開始洞察到可能發生變故，勸定公要有所準備，讓左右司馬隨行，這是預先設防，以備不測。期間遇到種種緊急狀況，孔子反應也非常迅速，見來者不善，馬上當機立斷，憑藉著對於古禮的熟悉，展現機智與魄力，逐一攻破了齊人的計謀，保護了定公的尊嚴與安全；這是因為孔子具備足夠的知識修養，才能臨機做出最佳反應。我們可以看到，真正的聖賢不是迂腐古板、沒氣魄、沒膽量的人，相反的，他們是義所

當爲，勇氣十足的。《中庸》說：「智仁勇三者，天下之達德也」，三者缺一不可。

子曰：「見義不爲，無勇也。」　　　　　——《論語》

　　只要是符合正義之事，必須要有勇氣去承擔。不能只顧著自己，害怕得罪人或擔心自己受害，畏畏縮縮，不能挺身而出或不肯去做，這是沒有勇氣的無勇之人。

問題：你有沒有感受到孔子的勇氣呢？身爲一個讀書人，不畏懼軍隊，可以根據自己所學的道理，立刻做出應有的判斷與行動，是不是我們學習的好榜樣？你做得到嗎？

❾ 多想一點

《智囊全集》

　　王守仁調任鎮守南贛時，於途中聽聞寧王朱宸濠起兵叛變，感到很焦急，但由於兵力不足，想先溯江趕往吉安，徵調士兵前來平叛。但是朱宸濠聽說後，派出一千多人要去截殺他，當地的船伕都很害怕，沒有人敢搭載他，不得已之下，王守仁於是拔出劍來威嚇，他們才願意發船。

　　到了傍晚，王守仁告訴部下：「追兵應該接近了，我再繼續搭乘大船，目標太大，容易被發現。」他讓一名部屬下穿上自己的官服，繼續留在大船上，自己則換上普通百姓的衣服，換乘一艘小漁船。果然，追兵攔阻大船，上船搜捕，抓到那名假扮的部下，才知道真正的王守仁早已去得遠了。

　　途中，王守仁擔憂朱宸濠會即刻揮兵進攻南京，於是想出一個計謀，假裝奉朝廷密旨，受任命統領南京兵部，一面祕密命人埋伏在各交通要道，只要見到朱宸濠的兵卒就襲擊。

　　為了讓朱宸濠誤以為他確實要統領南京，王守仁召來伶優[1]，在他們的行李、衣服夾層中放置假公文，故意讓朱宸濠的奸細看見。然後王守仁派人抓住奸細，假裝要斬殺他們，等他們被綁縛到法場準備行刑時，故意製造機會讓他們逃走。奸細回去報告朱宸濠這件事，朱宸濠下令捕獲這些伶優藝人，果然在他們身上搜到假公文，

---

[1]　伶優：以演戲為業的藝人。

以為王守仁真的要去坐鎮南京，所以猶疑不定，不敢貿然進兵。

王守仁徵調兵馬糧草，完成準備後，才揭發朱宸濠罪行，昭告天下共同討伐叛賊。

接獲消息，朱宸濠才恍然大悟：「被王守仁騙了！眾將立刻發兵，我要滅了王守仁。」

王守仁認為，此時對戰朱宸濠的精銳部隊，並非上策。他下令先堅守陣地，等朱宸濠率軍進攻其他地方時，再尾隨其後，等待機會突襲。王守仁還告訴部將：「只要先打下朱宸濠的根據地南昌，朱宸濠一定回兵來救，這時再全力出擊，必能穩操勝券。」

「回報大王，王守仁堅守不出。」朱宸濠派出的探子回來說。因而，朱宸濠以為王守仁不敢出戰，留下一萬名士兵留守南昌，自行率領大軍東下。

據悉朱宸濠已率兵東下，大軍包圍安慶，王守仁立即召集兵馬，部將們都認為應該援救安慶。王守仁卻搖一搖頭，說：「朱宸濠大軍已經攻陷九江一帶，他的老巢南昌城中，有一萬名士兵，而且糧食充足。我軍若是前往安慶救援，叛軍一定拚死迎戰，而安慶城中的政府兵力僅能自保，無法出城配合夾擊。如果叛賊派南昌的兵力斷絕我們的糧道，再聯合九江一帶的兵力夾擊我軍，情勢就非常不樂觀。」

眾將請問：「大帥，那該如何是好？」

「現今我們在這裡召集人馬，創造威勢，南昌城中的賊兵必定心生恐懼，我軍全力進攻，必能一舉破城，逼得朱宸濠不得不回兵救援，這就是《孫子兵法》中『圍魏救趙』的計謀。」

這時王守仁派出的探子回報，南昌附近有朱宸濠的兩支伏兵，共計有一萬人，互為犄角之勢[2]。王守仁下令由小路偷襲，打退伏兵；王守仁再率兵攻城，城中的士兵聽說各路官軍來襲，早就人心動搖，於是王守仁順利攻下了南昌城。

朱宸濠一聽說官軍進攻南昌，心中驚惶，想要回師，部屬勸阻說：「不如直接進攻南京，奪得皇位，南方各地自然無不臣服。」但朱宸濠不聽從，堅持撤軍回救南昌。

得到朱宸濠回師救援的消息，王守仁的部將說：「不如我們退兵入城，堅守城池，等待援軍。」

王守仁擺擺手，說：「不行，賊兵聽說老巢南昌被攻破，已經嚇得喪膽，只要讓他們派出的精兵無功而返，他們的銳氣就會進一步受挫，接著就會不戰而敗，這就是所謂『先聲奪人』。」

然後王守仁定下各種方略，先以少數士兵誘敵，假裝不敵敗走，等賊兵追擊時，埋伏的部隊再趁機圍攻。又顧慮到城中的皇室宗親，有可能是朱宸濠的內應，於是一一親自拜訪，出示公文，告訴他們：「凡是過去受到朱宸濠脅迫，而為內應者，一律不予追究；曾有接受朱宸濠任命的官職，現在能投誠的人，也一律免去死罪；若是能擒殺叛賊者，一律論功行賞。」命人四處張貼此告示，安撫人心。另一方面又分兵進攻九江，阻斷兩地賊兵的聯絡，終於擒獲朱宸濠，討平亂事。（《智囊全集‧兵智》）

2　犄角之勢：比喻兩邊彼此呼應，共同夾擊對方。

> 先在敵人想不到的地方挖好坑，讓他們不得不往裡跳，這樣才能牢牢掌握住主動權。

齊格飛老師教你一招

　　王守仁是明朝一代大儒，首創「心學」，受到後世景仰。他不僅學問好，也懂得運用所學到戰場上。由於寧王叛變事出倉促，他來不及準備兵力，於是設計讓敵人摸不清楚真正的情況，導致判斷錯誤，而爭取到備戰時間。然後他審視局勢，做下正確的判斷，進攻敵方根據地，使圍魏救趙之計，破了朱宸濠的進攻策略；並在城中不咎既往，安定人心，使得朱宸濠失去內應。他

掌握己方的優勢，洞悉敵人的心理，出其不意，攻其必救，所謂
「知己知彼，百勝不殆」，正是王守仁這場戰役的寫照。

智慧小學堂

「出其所必趨，趨其所不意。」 ——《孫子兵法》

取勝之道在於，出兵敵人不得不救援的地方，攻擊敵人意
料不到之處。圍魏救趙之計，就是攻擊敵人所必救，自然就解
了圍；而出乎對手意料之外，也自然能收奇襲之效了。這是說
要比對手多設想一些，才能出其不意。

問題：王守仁每一次都能比對手多想到一步，才能領先對手，
先進行對應的安排，所以才獲得勝利，你是不是也能凡
事多想一點，多做一些準備呢？

❿ 沒有退路，只有向前

《史記》

　　韓信出兵攻打魏國，設疑兵之計，故意頻頻調動部隊，表面上準備搶占大江渡口，卻另外派遣軍隊暗中渡江，突擊魏國首都安邑城，破城擄獲魏王。

　　擊滅魏國之後，韓信與張耳東下，要繼續進軍攻擊趙國。趙王與大臣成安君聽到這消息，迅速召集二十萬大軍應戰。

　　另一位大臣廣武君勸成安君說：「韓信乘勝而來，士氣高昂，我們難以抵擋。我聽說，要從千里之外補給糧食，常因路途遙遠，運送不便，士兵要自己動手砍柴燒飯，卻未必每天都有飯吃，常常要餓肚子。現在井陘這裡道路狹窄，不但馬車無法並行，騎兵也無法列隊而行。韓信行軍數百里後，運糧車隊勢必定落後。請您撥給我三萬兵馬，從小路阻截他們的輜重與補給；您則命人挖掘壕溝，加固城牆，堅守不出。他們前方攻不下，退路又被我的奇兵所阻，野外又掠奪不到補給，只要不到十天，韓信、張耳的腦袋，我就可以取來呈獻給您。」

　　但成安君是個書呆子，拒絕這個提議說：「正義之師，不用詭詐的伎倆。兵法上，比敵人多十倍兵力，則包圍敵人。現今韓信號稱數萬大軍，其實不過數千人而已，行軍千里前來，已經精疲力竭。這種情況下，如果我方還避而不戰，以後其他諸侯一定會笑我們怯戰，輕視我們而任意發兵來襲，這個計策不妥。」

韓信的探子回報，得知廣武君的計策不被採用，於是放心率軍進發，在井陘前方紮營。半夜時，挑選兩千名騎兵，下令每人攜帶一面紅色旗幟，從小路上山探查趙軍的動靜。

　　韓信叮囑士兵說：「趙軍如果見到我軍敗退，一定會出動全部兵力追擊，這時你們就疾速衝進趙營，拔掉趙軍的旗幟，換上我們的紅旗。」又分配糧食給士兵，說：「今天打敗趙軍之後，再舉行宴會，大家享用大餐！」

　　但將士們都不相信可以輕易擊敗趙軍，只好心口不一[1]的回答：「遵命。」

　　韓信又說：「趙軍已經占據險要之地，他們擔心我們見到險阻，不上當而退兵，所以沒有看到我們大軍進擊，是不會出兵的。」說完後，派遣一萬人為先鋒部隊，在河邊背對著河水擺開陣勢，趙軍見到這種後無退路的作法，紛紛指著他們哈哈大笑起來。

　　這天天一亮，韓信大張旗鼓，率軍出發。趙軍出營迎擊，雙方大戰許久。韓信、張耳假裝不敵，兵器、戰鼓、軍旗丟得滿地，逃回河邊的軍陣，原先在河邊佈陣的部隊則快速出戰趙軍。而前夜安排的二千騎兵也衝殺進趙軍營地，更旗易幟。

　　這時趙軍傾巢而出，全力追擊韓信。然而，由於背水一戰，韓信和所有士兵都拚死作戰，趙軍無功而返，退兵回營時一望，看見整個營寨已經都插滿了韓信軍的紅旗，大吃一驚，以為營寨已經被攻占，主帥已經被俘虜，因而陣腳大亂。韓信和張耳趁機兩路夾

1　心口不一：心裡想的和嘴裡說的不一樣。

擊，大破趙軍，殺了成安君，擄獲趙王。

韓信特別交代，如果擒獲那位提出計策卻不被趙王接受的廣武君，不可殺害，大大有賞。後來，士兵綁縛廣武君帶來給韓信，韓信向前親自解開繩子，敬奉廣武君，如同老師一般對待。

得勝回營後，部將問韓信：「兵書上說：『選擇陣地，右邊依山勢為屏障，左邊則臨據水澤。』但是將軍卻命令我們背水排開陣勢，我們原本不服，最後居然得勝了，這原因何在？」

韓信答說：「這種戰術在兵法中也有，只是你們沒有注意到罷了。兵法上不是說『把軍隊佈置在無法退卻、只有戰死的境地，兵士就會奮勇前進，殺敵取勝』嗎？沒有經過嚴格訓練的士兵，就如同是『驅趕百姓上戰場』。在這種狀況下，不得不設法置士兵於死地，激起求生慾望，使他們為自己的生存而奮戰。如果將士兵布置在生地，他們一定會怕死而逃走，還怎麼作戰呢？」

部將們無不稱善：「原來如此，實在太佩服您了。」（《史記‧淮陰侯列傳》）

齊格飛老師教你一招

　　韓信讓部隊背對著河水列陣，又故意敗陣丟旗棄鼓，退入河邊陣地，激起士兵「進則生，退則死」的心情與鬥志，發揮最大的戰力。韓信採用這種戰術，誘出全部的趙軍，又先派部隊進入對方營地，換下旗幟，使趙軍大為慌亂，於是大獲全勝。這是韓信深具自信，知道對手不用廣武君的好計策，表示智謀有限，所以他用這樣的險招，其實一點也不險。這就是善於估算敵人的才智與實力，然

後擬定好方法，並不是隨隨便便背水一戰。所以，若是不看清楚局勢，設算得宜，只一味模仿韓信，是不可能成功的。

韓信：「陷之死地而後生，置之亡地而後存。」

——《史記·淮陰侯列傳》

　　把軍隊佈置在無法退卻、只有戰死的境地，兵士就會奮勇前進，殺敵取勝。形容置身於無退路的境地，勢必能拚死向前，求得生存。這就是「置之死地而後生」的道理，讓自己退無可退，不再花心思想其他的退路，激起全副精神，奮力向前衝，則能開展新的契機。

問題：你有時會不會給自己找藉口，不去努力上進，或是不去改掉壞習慣，常常只是告訴自己，等明天再說、等下次再說？你能不能學習韓信的作法，不給自己找藉口，努力改進，奮發向上呢？

Note

Note

Note

Note

國家圖書館出版品預行編目資料

圖說，補「腦」的故事——換個方式看經典，
輕鬆提升你的閱讀力／齊格飛著. ——初
版.——臺北市：五南，2019.09
　面；　公分
　ISBN 978-957-763-385-9(平裝)

1.漢語教學　2.中等教育

524.313　　　　　　　　108005262

ZX0Q 悅讀中文

圖說，補「腦」的故事
換個方式看經典，輕鬆提升你的閱讀力

作　　　者 ― 齊格飛

發 行 人 ― 楊榮川

總 經 理 ― 楊士清

總 編 輯 ― 楊秀麗

副總編輯 ― 黃惠娟

責任編輯 ― 蔡佳伶、高雅婷

校　　對 ― 潘怡君

插畫腳本 ― 潘怡君

插　　畫 ― 俞家燕

封面設計 ― 王麗娟

出 版 者 ― 五南圖書出版股份有限公司

地　　址：106台北市大安區和平東路二段339號4樓

電　　話：(02)2705-5066　　傳　　真：(02)2706-6100

網　　址：http://www.wunan.com.tw

電子郵件：wunan@wunan.com.tw

劃撥帳號：19628053

戶　　名：五南圖書出版股份有限公司

法律顧問　林勝安律師事務所 林勝安律師

出版日期　2019年9月初版一刷

定　　價　新臺幣330元

經典永恆・名著常在

五十週年的獻禮 —— 經典名著文庫

五南，五十年了，半個世紀，人生旅程的一大半，走過來了。

思索著，邁向百年的未來歷程，能為知識界、文化學術界作些什麼？

在速食文化的生態下，有什麼值得讓人雋永品味的？

歷代經典・當今名著，經過時間的洗禮，千錘百鍊，流傳至今，光芒耀人；

不僅使我們能領悟前人的智慧，同時也增深加廣我們思考的深度與視野。

我們決心投入巨資，有計畫的系統梳選，成立「經典名著文庫」，

希望收入古今中外思想性的、充滿睿智與獨見的經典、名著。

這是一項理想性的、永續性的巨大出版工程。

不在意讀者的眾寡，只考慮它的學術價值，力求完整展現先哲思想的軌跡；

為知識界開啟一片智慧之窗，營造一座百花綻放的世界文明公園，

任君邀遊、取菁吸蜜、嘉惠學子！